Triple P
Programa de Paternidad Positiva
Manual de Familia

Carol Markie-Dadds MPsychClin
Karen M.T. Turner PhD
Matthew R. Sanders PhD

Publicado por
Triple P International Pty Ltd ABN 17 079 825 817
PO Box 1300
Milton QLD 4064

Página de Internet: www.triplep.net

English Version
Every Parent's Family Workbook
© Copyright 2000 The University of Queensland (English Version/Versión en Inglés)

US Spanish Version
Triple P Programa de Paternidad Positiva Manual de Familia
© Copyright 2007 Triple P International Pty Ltd (US Spanish Version/Versión en Español)
Reimpreso 2014, 2017
Escrito por Carol Markie-Dadds, Matthew R. Sanders and Karen M. T. Turner

ISBN 978-1-921234-47-7

Tipografía y Producción por JAM Creative, Brisbane.
Diseño de portada por Andrea Cox
Ilustraciones por Heck Lindsay
Impreso en China por Hang Tai Printing Co. Ltd

Contenidos

Acerca de los autores   v

Introducción   vi

Sesión 1
Su primera cita   1

Sesión 2
Observación y compartimiento de las conclusiones de la evaluación 17

Sesión 3
Promover el desarrollo de los niños   33

Sesión 4
Manejo de la mala conducta   49

Sesión 5
Sesión de práctica 1   71

Sesión 6
Sesión de práctica 2   83

Sesión 7
Sesión de práctica 3   95

Sesión 8
Entrenamiento en actividades programadas   107

Sesión 9
Implementación de prácticas programadas   121

Sesión 10
Sesión de cierre   133

Hojas de trabajo
      147

Reconocimientos

El Programa de Paternidad Positiva (Triple P) es una iniciativa del Parenting and Family Support Centre de la Universidad de Queensland. Triple P está dedicado a los muchos padres y niños que han participado en el desarrollo del programa. Muchos de los principios e ideas de la paternidad positiva contenidos en este volumen han evolucionado como resultado de la experiencia y retroalimentación proporcionadas por padres y niños que han participado en programas de investigación y terapia. Su cooperación es reconocida con gratitud. Los autores reoconocen también con gratitud el apoyo financiero de organizaciones gubernamentales y del sector privado que han contribuido al desarrollo de Triple P a través de los años. Este sistema está ahora operando en Norte América como Triple P America, que es la única organización reconocida oficialmente para proporcionar entrenamiento y acreditación de Triple P en los Estados Unidos.

Acerca de los autores

Carole Markie-Dadds es una psicóloga clínica con una Maestría en Psicología Clínica de la Universidad de Queensland. Carole es Deputy Director del Parenting and Family Support Centre, y Queensland State Coordinator de Triple P, que primordialmente incluye la coordinación de los entrenamientos, acreditación y supervisión de prestadores de servicios en agencias financiadas por el gobierno. Ella tiene experiencia como especialista en psicología clínica en trabajo con familias de niños pequeños que presentan problemas de conducta.

Karen Turner es la Directora Clínica de Triple P y Coordinadora de Desarrollo de Programas del Parenting and Family Support Centre. Ella es una psicóloga clínica con una Maestría en Psicología Clínica de la Universidad de Queensland. Su trabajo incluye la administración de una clínica de pacientes externos y centro de entrenamiento, desarrollo de programas, relaciones públicas y proyectos de asesoría para departamentos gubernamentales estatales y federales e iniciativas del sector privado. Ella tiene una vasta experiencia clínica y de investigación relacionada con el tratamiento de una variedad de problemas conductuales y emocionales de la niñez.

Matthew R. Sanders es el Director del Parenting and Family Support Centre de la Universidad de Queensland y Profesor de Psicología Clínica. Durante los últimos 20 años, Matt ha obtenido reputación internacional por su investigación científica de los problemas de conducta en la niñez y la intervención en familias para publicaciones científicas periódicas, y es autor de varios libros sobre el tratamiento de los problemas de conducta en niños. Él fue Presidente Nacional de la Australian Association of Cognitive Behavior Therapy (AACBT), y en 1996 obtuvo el Distinguished Career Award de la AACBT.

Introducción

El Programa Paternidad Positiva (Triple P) pretende facilitar la tarea de los padres. Este manual ofrece sugerencias y ideas sobre paternidad positiva que le ayudarán a promover el desarrollo de su hijo y cuidarse ustedes mismos como padres.

La paternidad puede ser muy gratificadora, educativa y placentera. También es demandante, frustrante y agotadora. Los padres tienen la responsabilidad de criar a la siguiente generación, pero muchas personas inician su carrera en la paternidad con poca preparación y deben aprender mediante prueba y error. El reto de todos los padres es educar niños sanos y bien adaptados en un ambiente amoroso y predecible.

No hay un estilo único de paternidad y existen muchas opiniones distintas sobre cómo los padres deben educar a sus hijos. En última instancia usted, como el padre o la madre, debe desarrollar una estrategia personal para moldear la conducta de su hijo. Triple P ha tenido éxito con muchos padres y podría darle algunas ideas útiles para responder al reto de criar a sus hijos.

Este manual fue desarrollado como guía complementaria para los padres que realizan el Programa Paternidad Positiva Estándar (Triple P Estándar). El programa estándar también se basa en materiales tomados de la Serie de Hojas de Recomendaciones de Triple P, que abarca la paternidad en general y aspectos específicos para bebés, niños de 2 a 3 años, preescolares y niños de primaria. Como parte del programa, podrá mirar segmentos de Guía de Supervivencia para Todos los Padres, video que ofrece un panorama general de los enfoques positivos para la paternidad con explicaciones detalladas y demostraciones de diversas técnicas de educación infantil.

Este programa fue diseñado para brindarle la información y las destrezas necesarias para practicar las estrategias del programa lo antes posible. Le invitamos a leer la sección del manual que trata de cada sesión antes de reunirse con su practicante. De ser posible, también es conveniente que empiece los ejercicios antes de la sesión. Esto le permitirá reflexionar sobre el contenido de la sesión antes de analizar sus experiencias y dudas con el practicante. Los ejercicios fueron diseñados para mejorar su comprensión de los temas que abarca cada sesión. También le ayudarán a utilizar con su familia las estrategias sugeridas.

Esperamos que el programa le sea de utilidad para realizar el trabajo más importante y gratificante de nuestra sociedad – educar a la siguiente generación.

Su primera cita

GENERALIDADES

En su primera cita, el practicante se entrevistará con usted y hará preguntas sobre el comportamiento y desarrollo de su hijo. Tendrá oportunidad de hablar de sus mayores inquietudes con respecto del niño y cualquier otra inquietud acerca de la familia. Esta entrevista inicial le brinda la oportunidad de hablar de cualquier cosa que, en su opinión, pueda estar afectando la conducta o el desarrollo de su hijo. Luego el practicante le presentará una estrategia para observar y dar seguimiento a la conducta de su hijo.

OBJETIVOS

Al finalizar la Sesión 1, usted podrá:

- Describir sus inquietudes acerca de la conducta o el desarrollo de su hijo.

- Identificar cosas que puedan estar afectando la conducta de su hijo.

- Empezar a supervisar una o dos conductas de su hijo.

Entrevista inicial

En esta sesión, participará en una entrevista informativa con su practicante. Durante la entrevista, le hará preguntas sobre temas como los siguientes:

- Sus inquietudes acerca de la conducta del niño y cualquier intento que usted haya hecho anteriormente para buscar ayuda de otras personas.

- Factores que pueden influir en la conducta de su hijo, como:

  - desarrollo del niño desde el nacimiento a la actualidad

  - historia educativa de su hijo

  - circunstancias familiares actuales

  - cómo se relacionan entre sí los miembros de la familia

- Cómo se ha sentido, en general, con la paternidad y, en su caso, cómo es la relación de pareja.

- Problemas médicos o de salud que puedan afectar la conducta de su hijo.

- Sus impresiones o las causas que pueden provocar la conducta de su hijo.

- Sus expectativas sobre lo que le gustaría lograr con la participación en este programa.

EJERCICIO 1 *Compartir información*

Cuando su practicante haga estas preguntas, quizá usted pueda tomar nota de los puntos principales de la información que están analizando.

....

....

....

....

....

Haga un registro de la conducta de sus hijos

Si le preocupa algún aspecto de la conducta de su hijo, es conveniente que haga un registro. Es útil llevar un registro por varias razones.

- Le permite comprobar si lo que usted opina de la conducta del niño es cierto (por ejemplo, ¿realmente desobedece todas las indicaciones que usted le da?).

- Le permite observar sus reacciones ante la conducta del niño e identificar cuándo y por qué ocurre la conducta.

- Le permite evaluar si el problema está cambiando (es decir, si mejora, empeora o permanece igual).

- Le dice si ha alcanzado su objetivo.

EJERCICIO 2 *Elija lo que debe supervisar*

Describa sus principales inquietudes acerca de la conducta del niño (por ejemplo, berrinches, desobediencia, no come, lastima a otros, lloriquea). Luego, haga una lista definiendo claramente cada conducta para que todos puedan reconocerla cuando ocurra.

Conducta: Descripción:

....

....

....

....

....

Decida, junto con su practicante, cuál(es) conducta(s) observarán durante la siguiente semana. Cuando hayan elegido, encierre en un círculo la(s) conducta(s) de su lista.

Existen varios formatos de supervisión que le ayudarán a llevar un registro de la conducta del niño. Su practicante le ayudará a elegir el formato más adecuado para hacer el registro de la(s) conducta(s) que ha elegido. Hallará más información sobre esos formatos de registro en las siguientes páginas.

Diario de conducta

Un diario de conducta consiste en anotar cuándo y dónde ocurre un problema de conducta, qué ocurrió antes del problema de conducta (qué lo causó) y qué ocurrió después (cómo reaccionó usted). Esto le permitirá identificar:

- patrones en la conducta de su hijo

- frecuencia con que ocurre la conducta

- consistencia con que resuelve la conducta de su hijo

- momentos o situaciones de alto riesgo

- posibles disparadores o causas

- posibles recompensas accidentales

Utilice este formato para conductas que se presenten menos de cinco veces al día. Si las conductas son más frecuentes, elija otro formato de registro. También podría utilizar este formato para anotar uno o dos ejemplos diarios de la conducta que ocurre a menudo. La página 4 presenta un ejemplo del diario de conducta durante un día.

EJEMPLO DE DIARIO DE CONDUCTA

Instrucciones: Anote el problema de conducta, cuándo y dónde ocurrió y qué ocurrió antes y después del incidente.

Conducta en observación: Berrinches   **Día:** Viernes, Mayo 14

INCIDENTE PROBLEMA	CUÁNDO Y DÓNDE OCURRIÓ	QUÉ OCURRIÓ ANTES DEL INCIDENTE	QUÉ OCURRIÓ DESPUÉS DEL INCIDENTE	OTROS COMENTARIOS
Tirarse en el suelo, llorar	7.30 a.m. Sala	Pedir que se vistiera	Permitir que mirara televisión más tiempo	
Patalear en el suelo, gritar	8.00 a.m. Sala	Apagar televisor e indicar que se vistiera	Llevarlo a su cuarto; ayudarlo a vestirse	Salir tarde de casa, irritación
Gritos, alaridos, pataleo	10.30 a.m. Supermercado	Negarle un juguete nuevo	Ceder y comprarlo	Vergüenza, ¡lo que fuera para que se callara!
Gritos, puñetazos al suelo	12.30 p.m. Sala	Pedir que recogiera sus juguetes antes de comer	Enviarlo a su cuarto; Recoger yo	Gritó 35 minutos en su cuarto
Pucheros, llanto fuerte	6.00 p.m. Afuera	Indicar que terminara de jugar y entrara para cenar	Nalgadas, a su cuarto sin cenar	Culpa, televisión y helado más tarde

Hoja de cuentas

Otra manera de llevar un registro de la conducta del niño consiste en anotar la frecuencia con que ocurre. Para ello, haga una hoja de cuentas como ésta y anote cada vez que la conducta se presente en el día.

Utilice este formato para conductas que se repitan hasta 15 veces al día. Para conductas más frecuentes, elija otro formato de registro.

EJEMPLO DE LA HOJA DE CUENTAS

Instrucciones: Anote la hora del día en la primera columna, luego ponga una marca en el espacio contiguo cada vez que se presente la conducta durante el día. Anote el total de episodios del día en la última columna.

Conducta: Palabrotas

Fecha de inicio: Octubre 17

DÍA	1	2	3	4	5	6	7	8	9	10	11	12	13	14	15	TOTAL
Dom	✓	✓	✓	✓	✓	✓	✓	✓	✓							9
Lun	✓	✓	✓	✓	✓	✓	✓	✓	✓	✓	✓					11
Mar	✓	✓	✓	✓	✓	✓	✓	✓								8

Registro de duración

Este formato es útil para registrar cuánto dura la conducta, por ejemplo, cuánto tiempo llora el bebé durante el día o cuánto tiempo pasa el niño haciendo la tarea o arreglándose para ir a la escuela por la mañana. Basta con registrar el tiempo que demora cada conducta en segundos, minutos u horas y anotar el resultado en la tabla. Al final del día, sume el tiempo de cada episodio para determinar el tiempo total que duró la conducta. A continuación se muestra un ejemplo del registro de duración.

Utilice este formato cuando quiera saber cuánto dura una conducta. Para conductas que son frecuentes o desaparecen rápidamente, utilice un formato de muestra de tiempos, o bien el diario de conducta o la hoja de cuentas.

EJEMPLO DEL REGISTRO DE DURACIÓN

Instrucciones: Anote el día en la primera columna y luego, por cada incidente individual de la conducta en observación, anote cuánto duró en segundos, minutos u horas. Anote el tiempo total al final de cada día.

Conducta: Llorar después de acostarlo   **Fecha de inicio:** Febrero 8

DÍA	EPISODIOS SUCESIVOS										TOTAL
	1	2	3	4	5	6	7	8	9	10	
Lun	30min	20min									50min
Mar	10min	15min	12min								37min
Mié	5min	15min	8min								28min
Jue	20min	10min	12min	20min							62min

Muestra de tiempo

Este formato es útil para registrar conductas que ocurren muchas veces en una hora, como lloriquear, quejarse o desobedecer. Es mejor elegir una hora de alto riesgo en el día para responder este formato. Elija un periodo de 2 – 3 horas en que sea más probable que ocurra la conducta en observación, por ejemplo, por la mañana antes de ir a la escuela o en la tarde, antes de cenar. Cuando haya identificado el momento de alto riesgo, divida el periodo en fracciones de tiempo más pequeñas. Para responder el formato, anote una marca en el cuadro si la conducta en observación ocurrió por lo menos una vez durante el periodo.

Utilice este formato para conductas que ocurren a menudo (más de 10 ó 15 veces al día), conductas que desaparecen rápidamente y suelen ser breves, o conductas que no tienen un inicio o fin bien definido. Elija otra forma de registro para conductas menos frecuentes.

EJEMPLO DE MUESTRA DE TIEMPO

Instrucciones: Anote una marca en el espacio del periodo correspondiente si la conducta en observación ha ocurrido por lo menos una vez.

Conducta: Lloriqueo   Fecha de inicio: Abril 5

HORA DEL DÍA – INTERVALOS DE TREINTA MINUTOS

9.00 am – 9.30 am																	
9.30 am – 10.00 am																	
10.00 am – 10.30 am																	
10.30 am – 11.00 am																	
11.00 am – 11.30 am																	
11.30 am – 12.00 mediodía																	
12.00 mediodía – 12.30 pm																	
12.30 pm – 1.00 pm																	
1.00 pm – 1.30 pm																	
1.30 pm – 2.00 pm																	
2.00 pm – 2.30 pm																	
2.30 pm – 3.00 pm																	
3.00 pm – 3.30 pm																	
3.30 pm – 4.00 pm																	
4.00 pm – 4.30 pm			✔	✔	✔	✔											
4.30 pm – 5.00 pm		✔	✔	✔	✔		✔										
5.00 pm – 5.30 pm		✔	✔														
5.30 pm – 6.00 pm	✔	✔	✔	✔		✔	✔										
6.00 pm – 6.30 pm	✔	✔		✔		✔	✔										
6.30 pm – 7.00 pm	✔	✔	✔	✔	✔	✔											
DÍAS	L	M	M	J	V	S	D	L	M	M	J	V	S	D	L	M	M
TOTAL	3	5	5	5	3	4	3										

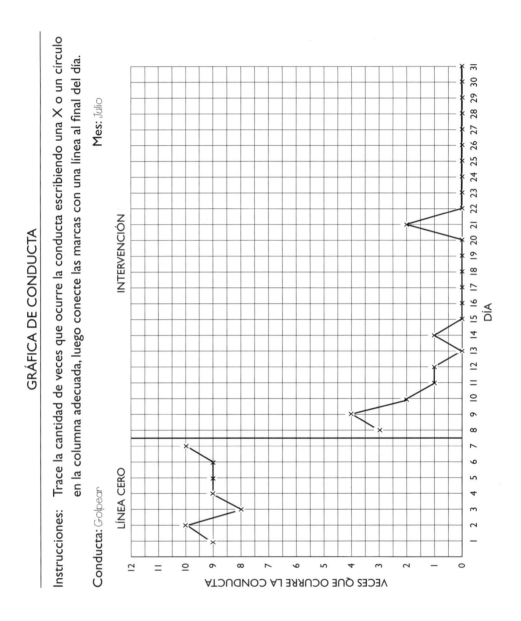

Gráfica de conducta

Puede anotar la información en una gráfica para facilitar el registro de los logros de su hijo (a continuación). Lleve este tipo de registro durante una semana, más o menos, antes de iniciar una nueva estrategia de paternidad. Siga registrando la conducta de su hijo una vez que haya empezado, para determinar si su nueva estrategia es exitosa. Esto le permitirá observar mejoras en la conducta del niño y usted se sentirá motivado a seguir utilizando nuevas estrategias o rutinas.

GRÁFICA DE CONDUCTA

Instrucciones: Trace la cantidad de veces que ocurre la conducta escribiendo una X o un círculo en la columna adecuada, luego conecte las marcas con una línea al final del día.

Conducta: Golpear

Mes: Julio

EJERCICIO **3** *Lleve un registro*

Junto con su practicante, elija el formato adecuado para llevar un registro de cada conducta en observación que haya encerrado en un círculo en el Ejercicio 2. A menudo hará falta más de un formato, así que elijan los más fáciles y convenientes para usted. Como recordatorio, quizá deba anotar la(s) conducta(s) observada(s) y el (los) formato(s) de observación que hayan elegido.

Conducta en observación: Formato(s) de observación:

....

....

....

CONCLUSIÓN

Resumen de la Sesión

En la sesión de hoy tuvo oportunidad de hablar de sus inquietudes sobre la conducta del niño y su familia. Pudo compartir ideas sobre la manera como resuelve las situaciones en este momento. También analizó opciones para llevar un registro de la conducta de su hijo.

■ TAREA EN CASA

- Lleve un registro de la(s) conducta(s) observada(s) durante 7 días, utilizando un formato de registro de las páginas 11-14 (puede obtener copias adicionales en la sección Hojas de Trabajo). Después de 7 días, haga un trazo de la información en una gráfica de conducta (consulte la página 15).

- Reflexione en su entrevista con el practicante. ¿Habló de lo que quería? ¿Olvidó hablar de alguna información importante? Cuando termina la sesión, es común que los padres recuerden algunas cosas que querían mencionar. De ser así, anote los puntos clave que olvidó. Podrá hablar de esos temas cuando inicie la próxima sesión.

....

....

....

....

....

- Cuando se prepare para la siguiente sesión, lea toda la información de la Sesión 2 en su manual y, de ser posible, vea los vídeos:

  - *Guía de Supervivencia para Todos los Padres*
    Parte 2, Causas de los problemas de conducta del niño,
    Objetivos del cambio

  - Mientras revisa ese material, trate de anotar algunas ideas para cada uno de los ejercicios. Podrá analizarlas en su próxima cita.

- Para que puedan analizar los resultados de la evaluación en la Sesión 2, por favor asegúrese de que usted y su pareja (de haberla) hayan terminado y entregado el Folleto de Evaluación Uno antes de la próxima cita.

Contenido de la siguiente Sesión

En la Sesión 2, será observado en compañía de su hijo. El practicante indicará materiales o actividades necesarios para esta sesión y quiénes deberán estar presentes.

> Tome nota de todo lo que necesitará:
>
> ....
>
> ....
>
> ....
>
> ....

Su practicante hablará de lo que ha podido aprender sobre su familia durante el proceso de evaluación y ofrecerá opciones para resolver sus inquietudes. También buscará con usted las posibles causas del problema de conducta y fijarán objetivos de cambio.

En la siguiente cita, los dos padres (de haberlos) deberán presentarse con el niño. De ser posible, lleven algunos juguetes y actividades para mantener al niño ocupado durante la sesión.

> La siguiente cita será en casa/la clínica a las (hora) ....
>
> el (día y fecha) ....

DIARIO DE CONDUCTA

Instrucciones: Escriba el problema de conducta, cuándo y dónde ocurrió y qué ocurrió antes y después del incidente.

Conducta en observación: _____

Día: _____

INCIDENTE PROBLEMA	¿CUÁNDO Y DÓNDE OCURRIÓ?	¿QUÉ OCURRIÓ ANTES DEL INCIDENTE?	¿QUÉ OCURRIÓ DESPUÉS DEL INCIDENTE?	OTROS COMENTARIOS

HOJA DE CUENTAS

Instrucciones: Anote la hora del día en la primera columna, luego ponga una marca en el espacio contiguo cada vez que se presente la conducta durante el día. Anote el total de episodios del día en la última columna.

Conducta: _____   Fecha de inicio: _____

DÍA	1	2	3	4	5	6	7	8	9	10	11	12	13	14	15	TOTAL

REGISTRO DE DURACIÓN

Instrucciones: Anote el día en la primera columna y, después, por cada incidente individual de la conducta en observación, anote cuánto duró en segundos, minutos u horas. Anote el tiempo total al final de cada día.

Conducta: _____   Fecha de inicio: _____

DÍA	EPISODIOS SUCESIVOS										TOTAL
	1	2	3	4	5	6	7	8	9	10	

■ TAREA EN CASA *Formato de registro 4*

MUESTRA DE TIEMPO

Instrucciones: Anote una marca en el espacio del periodo correspondiente si la conducta en observación ha ocurrido por lo menos una vez.

Conducta: _____   Fecha de inicio: _____

HORA DEL DÍA – INTERVALOS DE TREINTA MINUTOS																				
DÍAS	L	M	M	J	V	S	D	L	M	M	J	V	S	D	L	M	M			
TOTAL																				

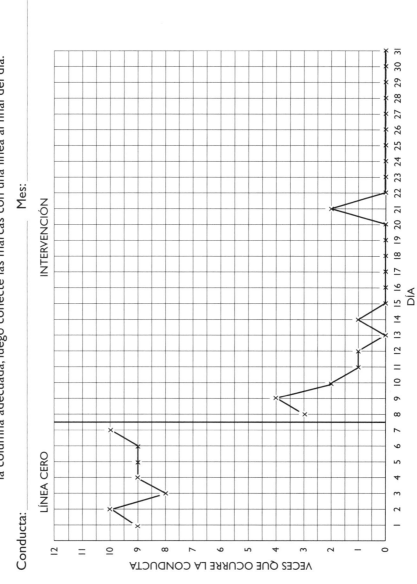

GRÁFICA DE CONDUCTA

Instrucciones: Trace la cantidad de veces que ocurre la conducta escribiendo una X o un círculo en la columna adecuada, luego conecte las marcas con una línea al final del día.

Mes: _____

Conducta: _____

LÍNEA CERO

INTERVENCIÓN

VECES QUE OCURRE LA CONDUCTA

DÍA

Manual de Familia para Todos los Padres

Observación y comunicación de los hallazgos de evaluación

2 Sesión

GENERALIDADES

Durante la Sesión 2, su practicante le observará con el niño mientras realizan juntos algunas actividades familiares. Luego, el practicante le dirá qué observó sobre su familia durante el proceso de evaluación y analizará algunas cosas que podrían estar provocando el problema de conducta. También hablarán de algunas opciones para resolver sus inquietudes y fijarán objetivos para cambiar la conducta de padres e hijos. El practicante le describirá los objetivos de Triple P Estándar y en qué consiste el programa.

OBJETIVOS

Al finalizar la Sesión 2, usted podrá:

- Describir la naturaleza de los problemas de conducta de su hijo.

- Identificar cosas que influyen en la conducta de su hijo.

- Fijar objetivos de cambio en la conducta de su hijo y la propia.

Observar a su familia

EJERCICIO **1** *Interactuar con su familia*

La mejor manera de entender lo que pasa en su familia es verla en acción. Esta sesión ofrece al practicante la oportunidad de conocer a su hijo, observar la conducta del niño y ver cómo interactúa la familia.

> El practicante podría pedirle que realicen juntos varias actividades. Para esta tarea, es necesario que actúe con toda la naturalidad posible y haga lo que suele hacer si surge un problema de conducta.

Resultados de la evaluación

EJERCICIO **2** *Comunicar los hallazgos de la evaluación*

El practicante analizará con usted los hallazgos de cada parte del proceso de evaluación. Le pedirá que hable de su tarea supervisando la conducta del niño. También analizará los hallazgos de la entrevista inicial, los cuestionarios y la tarea de observaciones que también será discutida.

> Es conveniente que tome nota sobre lo que se diga en la sesión.
>
> Entrevista:
>
> ....
>
> ....
>
> ....
>
> Cuestionarios:
>
> ....
>
> ....
>
> ....
>
> Supervisión:
>
> ....
>
> ....
>
> ....

Observación:

....

....

....

Causas de los problemas de conducta del niño

¿Por qué los niños se comportan así? ¿Por qué los niños de una misma familia se parecen tanto en ciertos aspectos y son tan distintos en otros? Para entender cómo se desarrolla la conducta de los niños, debemos tomar en consideración tres cosas -su composición genética, el ambiente familiar y la comunidad donde viven. Estos factores moldean las habilidades, actitudes y destrezas que adquieren los niños y también determinan el desarrollo de problemas de conducta.

EJERCICIO 3 *Identificar las causas de los problemas de conducta en los niños*

Los niños se comportan de manera adecuada o no por una razón. Si entendemos sus razones, podremos identificar los cambios que debemos realizar en nuestra conducta y la del niño para evitar problemas. Mientras lee la siguiente sección, haga una marca junto a los factores que, en su opinión, pueden estar determinando la conducta de su hijo. También puede incluir comentarios en los espacios que se proporcionan.

COMPOSICIÓN GENÉTICA

Los niños heredan de sus padres una composición genética única. Ésta incluye características físicas, como color de ojos y textura del pelo, así como algunas características conductuales y emocionales. Por ejemplo, los niños que tienen problemas de concentración o una tendencia a sentirse tristes o deprimidos pueden haber heredado una composición genética que les vuelve más propensos a tener estos problemas.

Los niños también pueden heredar el temperamento, como la capacidad para socializar, mantenerse activos o el grado de emotividad. Algunas de estas características hacen que, en ocasiones, los niños sean difíciles de controlar. Por ejemplo, algunos niños exigen mucha atención, otros son muy activos o inquietos y exploran continuamente su entorno, otros más lloran y hacen berrinches y es difícil establecer con ellos rutinas de alimentación y sueño. Sin embargo, no todos los bebés difíciles desarrollan problemas de conducta en la infancia y algunos bebés fáciles los presentan. La conducta de los niños no sólo depende del temperamento, sino de la manera como los demás responden a su conducta.

¿Cómo era su hijo de bebé?

- prefería estar acompañado, exigía mucha atención ☐

- fácil de alterar, difícil de tranquilizar, se sobresaltaba
  con cambios repentinos ☐

- muy activo, inquieto, energético, difícil de controlar ☐

Comentarios:

....

....

....

EL AMBIENTE FAMILIAR

La composición genética de los niños no puede cambiarse. No obstante, los niños aprenden del ambiente familiar y éste puede cambiarse para enseñarles a comportarse de una manera más adecuada. Es conveniente comprender cómo aprenden los niños del ambiente a fin de elegir la manera de resolver los problemas.

Recompensas accidentales a la mala conducta

Los niños aprenden rápidamente que su conducta tiene un efecto y que pueden controlar las acciones de los demás. Es probable que un problema de conducta persista si los niños obtienen lo que desean. A menudo son recompensas accidentales o sobornos disimulados por su mala conducta. Las recompensas accidentales incluyen atención social (como hablar, un guiño o una sonrisa), recompensas materiales (como juguetes), actividades (como el padre o la madre que distrae al niño con un juego) o golosinas (como galletas, helado o caramelos). Por ejemplo, si usted accidentalmente ríe o pasa mucho tiempo razonando con su hijo la primera vez que dice una palabra obscena, la atención adicional podría estimular al niño a repetir la palabrota.

¿Ocurre alguna de estas recompensas accidentales en su familia?

- atención social ☐

- recompensas materiales ☐

- recompensas de actividad ☐

- recompensas de comida ☐

Comentarios:

....

....

....

....

Trampas de intensificación

Los niños aprenden que si acrecientan la conducta y el problema empeora, tienen mayor probabilidad de obtener lo que desean. Por ejemplo, su hijo le pide una galleta justo antes de la cena. Usted ha respondido No varias veces. Sin embargo, su hijo insiste y se vuelve más escandaloso y demandante, orillándole a caer en la trampa de darle la galleta para acabar con el ruido. Por desgracia, el niño recibió una recompensa por ser cada vez más exigente y aprende a persistir y volverse más escandaloso para salirse con la suya. Usted recibe una recompensa, al menos a corto plazo, porque el niño abandona el berrinche. Como usted y su hijo han sido recompensados, es muy probable que la intensificación se repita.

De la misma manera, los padres aprenden que si acrecientan su conducta y vociferan, tendrán más probabilidades de lograr lo que quieren. Por ejemplo, ha dado una indicación a su hijo en varias ocasiones, levantando la voz gradualmente sin lograr resultados. Usted termina por exigirle, con voz iracunda, que haga lo que ha pedido antes de contar hasta tres, ¡o ya verá! Su hijo aprende entonces que usted sólo habla en serio cuando grita y cuenta hasta tres, y espera hasta ese momento para hacer lo que le ha pedido. Usted recibe una recompensa por gritar para que el niño obedezca y su hijo es recompensado porque deja de gritarle. Nuevamente, como hay una compensación para el adulto y el niño, esta intensificación seguramente se repetirá.

¿Alguna de estas trampas de intensificación ocurre en su familia?

- el niño intensifica ☐

- los padres intensifican ☐

Comentarios:

....

....

....

Ignorar la conducta deseable

Para algunos niños, la buena conducta tiene poca o ninguna recompensa. Por desgracia, la conducta que no recibe atención se repetirá con menos frecuencia. Si los niños son ignorados cuando se comportan bien, pueden aprender que portarse mal es la única forma de llamar la atención.

¿Cae usted a menudo en esta trampa?

- ignorar la conducta deseable ☐

Comentarios:

....

....

....

Observar a otros

Los niños aprenden observando lo que otros hacen. Por ejemplo, cuando los padres se enojan y gritan a otras personas, recibiendo a cambio atención porque han gritado, los niños aprenden que es correcto gritar cuando tienen un problema. Los niños cuyos padres recurren a menudo a las nalgadas, también aprenden a golpear. Observar a otros permite aprender conductas como gritar, contestar de mala manera, perder los estribos, decir insultos, pegar y mantener el desorden, o cómo reaccionar cuando ocurre algo atemorizante.

¿Su hijo aprende malos hábitos observando a otros?

- observar a otros ☐

Comentarios:

....

....

....

Dar indicaciones

La manera como los padres dan indicaciones puede influir en que los niños obedezcan o no. Algunos problemas comunes incluyen:

- *Mucho*. Cada vez que reciben una indicación, los niños tienen la oportunidad de desobedecer. En ocasiones, los niños pueden fastidiarse cuando reciben demasiadas indicaciones

- *Poco*. A veces, los niños se vuelven desobedientes porque nadie se toma el tiempo para darles indicaciones precisas sobre lo que se espera de ellos. Por ejemplo, un niño con malos modales a la mesa puede no haber recibido suficientes indicaciones sobre el uso del cuchillo y el tenedor.

- *Rigidez*. Los niños parecen desobedecer cuando los padres esperan demasiado y dan indicaciones que van más allá de sus capacidades, como pedir a un niño de 3 años que ordene su habitación.

- *Mal momento*. Las indicaciones hechas cuando el niño está ocupado en algo, como mirar su programa de televisión favorito, suelen ser ignoradas.

- *Imprecisión*. Los niños no obedecen indicaciones poco precisas -*¡Denise!... o ¡No seas bobo!*- o indicaciones que se expresan en forma de pregunta -*¿Te gustaría ir a la cama ahora?* Si usted da opción al niño, esté preparado para que responda No.

- *Lenguaje corporal*. A veces, el lenguaje corporal de los padres comunica algo distinto a la indicación, como reír o sonreír mientras dice a su hijo que deje de hacer algo. Esto puede confundir al niño. Asimismo, los niños suelen ignorar indicaciones que se dan a gritos desde otra habitación, porque los padres no están presentes para respaldar la indicación.

¿Cómo da usted sus indicaciones?

- muchas   ☐

- pocas   ☐

- con rigidez   ☐

- en mal momento   ☐

- imprecisas   ☐

- con lenguaje corporal confuso   ☐

Comentarios:

....

....

....

....

Mensajes emocionales

Los padres que desaprueban al niño, más que a la conducta, reducen la autoestima de su hijo. Los insultos -*tonto o estúpido*- y los mensajes que generan culpa -*¿Qué diría abuelita si te viera haciendo eso?*- pueden ocasionar que el niño responda movido por la vergüenza. Sin embargo, generan también ira, resentimiento y poca cooperación.

¿Comunica usted alguno de estos mensajes emocionales?

- insultos o humillaciones   ☐

- mensajes que generan culpa   ☐

Comentarios:

....

....

....

....

Uso ineficaz de los castigos

Los niños pueden desarrollar problemas de conducta por la manera como los padres utilizan los castigos o la disciplina. He aquí algunas razones por las cuales el castigo no funciona.

- *Amenaza de castigo sin cumplimiento del mismo.* Aunque las amenazas funcionan inicialmente, los niños pronto aprenden a ignorar indicaciones cuando los padres no cumplen la amenaza. Las amenazas de castigo pueden, incluso, actuar como desafíos y los niños ponen a prueba a sus padres para averiguar qué sucede.

- *Castigos provocados por la ira.* Siempre existe el riesgo de perder el control y lastimar al niño cuando los padres aplican un castigo movidos por la ira. Busque ayuda profesional si teme que esto ocurra.

- *Castigo como respuesta a una crisis.* A veces, los padres responden exageradamente a una mala conducta debido a que aguardan hasta que la conducta del niño se ha vuelto insoportable para hacer algo al respecto.

- *Uso inconsistente del castigo.* La inconsistencia dificulta que los niños aprendan lo que se espera de ellos. Pueden surgir problemas de conducta cuando las indicaciones y reglas no se aplican consistentemente día a día. En las familias donde hay dos padres, también pueden surgir problemas cuando los adultos se contradicen o no se apoyan mutuamente en presencia de los niños.

¿Tiene alguna de estas dificultades con la disciplina?

- amenazas incumplidas ☐
- castigos provocados por la ira ☐
- castigo en respuesta a una crisis ☐
- uso inconsistente del castigo ☐

Comentarios:

....

....

....

....

Creencias y expectativas de los padres

Algunas creencias resultan inconvenientes y dificultan la paternidad. Éstas son algunas de las creencias inconvenientes más comunes.

- *Es sólo una etapa.* Esta creencia puede impedir que los padres resuelvan un problema de conducta en cuanto se presenta. Por el contrario, esperan a que el problema se vuelva grave y persistente antes de pedir ayuda o realizar cambios.

- *Lo hace deliberadamente, sólo para provocarme.* Esta idea culpabiliza al niño y puede causar resentimiento en los padres, orillándolos a responder exageradamente ante una mala conducta. También impide que los padres perciban la forma como sus propias acciones contribuyen al problema de conducta.

- *Es culpa mía que sea así.* Esta creencia culpabiliza a los padres del problema de conducta del niño. Los adultos pueden sentirse responsables y deprimidos si consideran que tienen la culpa de la conducta de su hijo.

Las expectativas de los padres también pueden complicar la paternidad. Es poco realista que pretendan que sus hijos sean perfectos. Esto, seguramente, provocará decepciones y conflictos con sus hijos. Asimismo, los padres a veces tienen expectativas propias poco realistas. Cuando aspiran a actuar de manera impecable, corren el riesgo de sufrir insatisfacciones y frustración.

¿Alguna de estas situaciones se aplica a su caso?

- creencias inconvenientes ☐

- expectativas poco realistas ☐

Comentarios:

....

....

....

Otras influencias en la familia

Otros factores influyen en el bienestar de los padres, volviendo más difícil la paternidad. He aquí algunos ejemplos:

- *Relación conyugal.* Pueden surgir problemas de conducta cuando la relación de pareja es difícil y hay tensiones y conflictos en el hogar. Los niños se vuelven agresivos y las niñas se tornan ansiosas o deprimidas cuando presencian muchas discusiones y disputas entre los padres.

- *Emociones de los padres.* Los sentimientos de los adultos, como ira, depresión o angustia, pueden impedirles actuar de manera consistente y controlar con eficacia la conducta de sus hijos. Por ejemplo, si uno de los padres se siente triste o deprimido, puede volverse irritable e impaciente, abrigar pensamientos poco propicios hacia el niño, pasar menos tiempo con el pequeño y brindar menos supervisión.

- *Estrés.* Todos los padres experimentan estrés en algún momento, por ejemplo, una mudanza, dificultades financieras y presiones laborales. Los niños necesitan una rutina y su equilibrio puede alterarse cuando estas tensiones afectan la rutina familiar habitual durante un periodo prolongado.

¿Hay alguna de estas situaciones en su familia?

- problemas en la relación conyugal ☐

- problemas emocionales de los padres ☐

- estrés ☐

Comentarios:

....

....

....

....

INFLUENCIAS AJENAS AL HOGAR

Es imposible que los padres controlen todas las influencias en la conducta de sus hijos. Una vez que tienen más contacto con otros miembros de la comunidad, la conducta de los niños es afectada por agentes ajenos al hogar.

Compañeros y amigos

Cuando los hijos empiezan a relacionarse con otros niños, son influidos por las relaciones con sus compañeros y por lo que hacen los demás. Por ejemplo, los niños agresivos y conflictivos a menudo son rechazados por sus compañeros, poseen escasas habilidades sociales y tienen dificultades para hacer y mantener amistades. Es probable que estos niños se relacionen y aprendan de otros niños conflictivos, perpetuándose el problema de conducta.

Escuela

El éxito escolar de los niños puede influir en su adaptación y conducta. Por ejemplo, un niño puede desarrollar problemas de conducta porque el trabajo escolar le resulta difícil, no se desempeña bien y pocas veces recibe elogios o recompensas por sus esfuerzos.

Medios de comunicación y tecnología

Es imposible que los padres controlen todos los factores que influyen en la conducta de sus hijos. Los niños pueden aprender un problema de conducta, como decir palabras obscenas, agredir, cuando miran una película o programas de televisión, cuando aprenden a leer periódicos o revistas, o utilizando juegos de computadora.

¿Alguno de estos factores afecta a su familia?

- compañeros y amigos ☐

- escuela ☐

- medios y tecnología ☐

Comentarios:

....

....

....

....

Todos los padres caen ocasionalmente en las trampas de la paternidad. Habría que ser sobrehumanos para criar a un hijo sin jamás ofrecer una recompensa accidental o ser inconsistentes. Es realmente imposible que un padre nunca cometa errores. Sin embargo, los problemas de conducta de los niños ocurren con mayor facilidad si caemos en estas trampas de la paternidad. De modo que la frecuencia con que ocurran estas interacciones cotidianas es mucho más importante que el simple hecho de que ocurran o no.

Otros factores

¿Ha identificado cosas que podrían estar influyendo en la conducta de su hijo? De ser así, haga una lista en el espacio que encontrará a continuación.

....

....

....

....

Objetivos del cambio

Ahora que ha visto las posibles causas de los problemas de conducta, piense en los cambios que le gustaría observar en la conducta de su hijo y también en la propia.

De los padres depende decidir las habilidades que aprenderán los hijos. Recuerde que los niños deben haber alcanzado una etapa de desarrollo que les permita aprender una nueva habilidad. Es conveniente que considere las habilidades que permiten a los niños volverse independientes y relacionarse con otros.

EJERCICIO 4 *¿Cuáles destrezas fomentaríamos en los niños?*

Lea la siguiente lista y piense en las destrezas que le gustaría fomentar en su hijo.

Cómo comunicarse y relacionarse con otros

- Expresar adecuadamente opiniones, ideas y necesidades.
- Pedir asistencia o ayuda cuando sea necesario.
- Cooperar con las peticiones de los adultos.
- Jugar de manera cooperadora con otros niños.
- Tomar conciencia de los sentimientos ajenos.
- Tomar conciencia de la forma como sus actos afectan a los demás.

Cómo manejar sus emociones

- Expresar emociones de manera que no dañen a otros.
- Controlar los actos que lastiman y pensar antes de actuar.
- Desarrollar sentimientos positivos hacia sí mismos y los demás.
- Aceptar reglas y límites.

Cómo ser independientes

- Hacer cosas por sí solos.
- Mantenerse ocupados sin la constante atención de los adultos.
- Ser responsables de sus actos.

Cómo resolver problemas

- Mostrar interés y curiosidad en cosas cotidianas.

- Hacer preguntas y desarrollar ideas.

- Considerar soluciones alternativas.

- Negociar y pactar compromisos.

- Tomar decisiones y resolver problemas por sí solos.

Comentarios:

....

....

....

....

EJERCICIO **5** *Definir objetivos de cambio*

Cuando desarrolle sus objetivos de cambio, tome en cuenta la conducta actual de su hijo. Piense qué le gustaría que su hijo hiciera más a menudo (por ejemplo, pedir las cosas con amabilidad, jugar solo sin supervisión constante de un adulto, obedecer indicaciones, permanecer en su cama toda la noche). También piense qué le gustaría que su hijo hiciera con menos frecuencia (por ejemplo, berrinches, peleas, quejarse durante la comida, interrumpir). Asimismo, es importante que piense en los cambios que le gustaría realizar en su propia conducta. Ahora que ha analizado lo que podría contribuir al problema de conducta de su hijo, fíjese objetivos personales. Piense en qué le gustaría hacer más a menudo (por ejemplo, conservar la calma, dar indicaciones claras y directas) y qué le gustaría hacer con menos frecuencia (por ejemplo, amenazar, gritar indicaciones desde otra habitación).

Utilice este espacio para hacer una lista de los cambios que le gustaría ver en la conducta de su hijo y en la de usted. Asegúrese de que los objetivos sean específicos y alcanzables.

OBJETIVOS DE CAMBIO EN LA CONDUCTA DEL NIÑO	OBJETIVOS DE CAMBIO EN SU PROPIA CONDUCTA

CONCLUSIÓN

Resumen de la Sesión

La sesión de hoy le ha brindado la oportunidad de observarse a sí mismo junto con su hijo y de compartir los hallazgos de la evaluación. Ha identificado algunas posibles causas de la conducta de su hijo y reflexionado sobre las destrezas y conductas que le gustaría fomentar en el niño. También ha establecido objetivos de cambio en la conducta del niño y la de usted.

■ TAREA EN CASA

- Lleve un registro de la conducta del niño respondiendo los formatos de observación que inició después de la Sesión 1. Puede trazar la información en una gráfica de conducta.

- Como preparación para la Sesión 3, lea toda la información de la Sesión 3 en su manual y de ser posible, mire el vídeo:
  - *Guía de Supervivencia para Todos los Padres*
    Parte 1, ¿Qué es la paternidad positiva?
    Parte 3, Promover el desarrollo de los niños

Mientras estudia este material, trate de anotar algunas ideas para cada uno de los ejercicios de la Sesión 3 de su manual. Podrá hablar de esas ideas en su siguiente cita.

Contenido de la siguiente Sesión

En la Sesión 3 conocerá los principios de la paternidad positiva y algunas estrategias prácticas para:

- desarrollar una relación positiva con su hijo

- fomentar una conducta deseable

- enseñar a los niños nuevas destrezas y conductas

Para la siguiente cita, los dos padres (si los hay) deberán presentarse sin el niño, de ser posible. Si no puede hacer arreglos para que alguien cuide de su hijo, lleve consigo algunos juguetes y actividades para mantener ocupado al niño durante la sesión.

La siguiente cita será en casa/la clínica a las (hora) ....
el (día y fecha) ....

Promover el desarrollo infantil

GENERALIDADES

La estimulación y atención positiva ayudan a los niños a desarrollar destrezas y aprender formas adecuadas de conducta. Si fomenta la conducta que usted prefiere aumentarán las posibilidades de que la conducta se repita. En la Sesión 2 podrá elegir las conductas y destrezas que desea fomentar en su hijo. En esta sesión se le presentarán varias estrategias que le permitirán promover el desarrollo de su hijo mejorando su relación con él, fomentando en el niño la conducta deseable y enseñándole nuevas destrezas. Mientras realiza los ejercicios, piense en las estrategias que podría utilizar con su hijo sin sentirse incómodo.

OBJETIVOS

Al finalizar la Sesión 3, usted podrá:

- Describir la paternidad positiva y en qué consiste.

- Utilizar estrategias para desarrollar una relación positiva con su hijo (es decir, tiempo de calidad, hablar con los niños y manifestar afecto).

- Utilizar estrategias para fomentar la conducta deseable (es decir, felicitar, dar atención y elegir actividades interesantes y adecuadas para la edad de los niños).

- Utilizar estrategias para enseñar nuevas destrezas o conductas a los niños (es decir, poner un buen ejemplo, enseñanza incidental y Preguntar, Responder, Hacer).

- Elegir dos estrategias de paternidad positiva para practicar y supervisar durante 7 días.

- Crear una gráfica de conducta con recompensas adecuadas para el niño.

¿Qué es la paternidad positiva?

La Paternidad Positiva es un enfoque para la educación de los hijos que promueve el desarrollo infantil y maneja la conducta de los niños de una manera constructiva que no daña. Se basa en una buena comunicación y atención positiva para ayudar al desarrollo infantil. Los niños que son educados con paternidad positiva tienen más probabilidades de desarrollar sus habilidades y sentirse bien consigo mismos. Al mismo tiempo, tienen menos probabilidad de desarrollar problemas de conducta. La paternidad positiva abarca cinco aspectos clave.

Cree un ambiente seguro e interesante

Los niños pequeños necesitan un ambiente de juego seguro, sobre todo cuando empiezan a gatear. Los accidentes en el hogar son la causa principal de lesiones en niños pequeños. Un ambiente seguro se traduce en que usted podrá criar a su hijo sintiéndose más relajado y el niño podrá explorar y mantenerse activo durante el día sin riesgo de sufrir daños. Aumente la seguridad de su hogar poniendo fuera de alcance cualquier objeto peligroso; instale manijas de seguridad en gavetas y alacenas; y coloque cercas y barreras que impidan el paso hacia zonas peligrosas de la casa. Poco a poco podrá eliminar restricciones conforme su hijo crezca.

Los niños necesitan un ambiente interesante que proporcione abundantes oportunidades para explorar, descubrir, experimentar y desarrollar sus habilidades. Un hogar repleto de actividades interesantes estimulará la curiosidad de su hijo, así como su desarrollo intelectual y de lenguaje. También mantendrá ocupado y activo al niño, y disminuirá las probabilidades de mala conducta.

Además, los niños necesitan una supervisión adecuada. Para ello se necesita saber, en todo momento, dónde se encuentra el pequeño, con quién se relaciona y lo que están haciendo.

Cree un ambiente de aprendizaje positivo

Los padres deben estar disponibles para sus hijos. Esto no significa que deba permanecer junto al niño en todo momento, aunque sí deberá estar disponible cuando el pequeño necesite ayuda, cuidados o atención. Si su hijo se acerca a usted, interrumpa lo que esté haciendo y dedíquele tiempo si es posible.

Ayude a su hijo a aprender alentándolo a hacer cosas por su cuenta. El apoyo y la atención positiva motivan a los niños a aprender. Cuando vea que su hijo hace algo que usted aprueba, preste atención. Demuestre a su hijo que está satisfecho con lo que hace y es muy probable que esto le motive a repetir la conducta.

Utilice la disciplina asertiva

Cuando los padres utilizan la disciplina asertiva, los niños aprenden a tomar responsabilidad de sus actos, son más conscientes de las necesidades de otros y desarrollan auto-control. Asimismo, tienden a desarrollar menos problemas de conducta si los padres son consistentes y predecibles día a día.

La disciplina asertiva consiste en ser consistentes, actuar con rapidez cuando los niños se portan mal y enseñarles a comportarse de una manera aceptable. Usted puede valorar la individualidad de su hijo y al mismo tiempo esperar del niño una conducta razonable. Cuando el niño está alterado o se comporta mal, lo mejor es conservar la calma y evitar los gritos, los insultos, las amenazas o las nalgadas.

Tenga expectativas realistas

Las expectativas de los padres con respecto a los hijos dependen de lo que los adultos consideren normal en los niños a diferentes edades. No olvide que los niños son individuos y se desarrollan con distinta rapidez. Los niños deben alcanzar una etapa de desarrollo adecuada para aprender nuevas habilidades, como usar el baño, vestirse o comer solos. Si usted no sabe si su hijo está ya listo para aprender una nueva habilidad, pida consejo profesional.

A veces surgen problemas cuando los padres esperan demasiado antes de tiempo, o esperan que sus hijos sean perfectos. Por ejemplo, los padres que esperan que sus hijos sean siempre corteses, felices y cooperativos, o siempre ordenados y útiles pueden sufrir decepciones y tener conflictos con los niños. No pretenda que su hijo sea perfecto. Todos los niños cometen errores. La mayor parte de los errores no son intencionales.

También es importante que los padres tengan expectativas propias realistas. Es loable que quiera poner lo mejor de sí en la paternidad, pero si se esfuerza en ser un padre perfecto terminará por sentirse frustrado e inadecuado. No sea excesivamente rígido consigo mismo. Todos aprendemos de la experiencia.

Cuidado personal en la paternidad

La paternidad es más sencilla cuando se satisfacen las necesidades personales de intimidad, compañía, recreación y soledad. La buena paternidad no significa que el niño deba dominar su vida. Si satisface sus necesidades adultas, le resultará más fácil ser paciente y consistente, y estará dispuesto a ayudar a su hijo.

EJERCICIO 1 ¿Qué es paternidad positiva?

¿Cuál de las siguientes destrezas de paternidad positiva le resulta sencilla? ¿Por qué?

....

....

....

....

¿Cuál de estas destrezas le resulta difícil? ¿Por qué?

....

....

....

....

¿Qué otras cosas son importantes para contribuir al desarrollo de los niños?

....

....

....

....

Desarrollar relaciones positivas con los niños

Hace falta tiempo para formar relaciones familiares afectuosas. Éstas son algunas ideas que le ayudarán a desarrollar una relación positiva con su hijo.

Pase tiempo de calidad con su hijo

Margen de edad recomendado: Todas las Edades. A menudo es más beneficioso dedicar periodos cortos y frecuentes a sus hijos que compartir largos períodos con menor frecuencia. Trate de pasar pequeñas cantidades de tiempo con su hijo -aunque sean 1 ó 2 minutos- frecuentemente a lo largo del día. El tiempo especial para su hijo es aquél en que el niño se aproximará para decirle algo, hacerle una pregunta o pedirle que participe en una actividad. Cuando esto suceda y usted no esté ocupado con algo importante, deje lo que esté haciendo y póngase a su disposición. Si está ocupado en ese momento, trate de reservar algún tiempo para el niño en cuanto le sea posible.

EJERCICIO 2 *Ideas para tiempo de calidad*

El tiempo de calidad es distinto para cada familia. Escriba algunas ideas sobre cómo usted y su hijo pueden compartir algún tiempo de calidad. Recuerde que el tiempo de calidad es una oportunidad que puede presentarse todos los días.

En la hora del desatuno, Mi hijo es muy colaborador, cuando vamos a su escuelta cantamos, o al mall

Hable con su hijo

Margen de edad recomendado: Todas las Edades. Si habla con su hijo, le ayudará a desarrollar el vocabulario, habilidades de conversación y sociales, y fortalecerá su autoestima. Hable con su hijo de las cosas que al niño le interesan. Comparta ideas e información y muéstrese interesado en lo que su hijo dice.

> Haga una lista de algunas cosas que interesen a su hijo o que hayan hecho y
> de las que puedan hablar.
>
> la natación
> asistir a so ascuala
> Lar como explora poco a poco las
> cosas q' la gusta Parquas, Juguetas

Demuestre afecto

Margen de edad recomendado: Todas las Edades. Otra manera de mostrar su interés y
cariño consiste en brindar al niño abundantes manifestaciones físicas de afecto. Actos
como abrazos, caricias, arrumacos, besos, masajes, cosquillas y mimos permiten que los
niños crezcan sintiéndose queridos y cómodos al dar y recibir afecto. En los primeros
años de vida, el afecto permite que los niños formen lazos estrechos con sus padres.

EJERCICIO **4** *Formas de demostrar afecto*

> ¿Qué forma de afecto físico disfrutan usted y su hijo?
>
> Yo sa lo Damuastro con basos
> abrazos, r Diciandola lo mucho q'
> lo amo.

Fomentar la conducta deseable

Si fomenta la conducta que desea aumentarán las probabilidades de que la conducta
se repita. He aquí algunas ideas que puede utilizar para que su hijo desarrolle una
conducta adecuada.

Elogie a su hijo

Margen de edad recomendado: Todas las Edades. Todos los niños y adultos gustan de
recibir elogios. Observe cuándo su hijo se comporta bien y elogie la conducta que
usted desea. El elogio puede limitarse a una manifestación de aprobación -*Buena niña
o Bien hecho, fue estupendo-* o una afirmación que describa exactamente lo que usted
desea -*Gracias por hacer lo que pedí de inmediato o Estoy muy contento porque recogiste
tus juguetes cuando terminaste de jugar.* Evite comentarios que hagan recordar una
conducta problemática -*Me alegro de ver que los dos jugaron bien, para variar, y que*

no pelearon o *Gracias por no interrumpir*. Es preferible un elogio descriptivo a una aprobación general cuando trate de fomentar una conducta particular deseable. Los elogios dan mejor resultado cuando se ofrecen con entusiasmo y sinceridad.

EJERCICIO 5 *Cómo ofrecer una felicitación descriptiva*

> Consulte su lista de objetivos para recordar las cosas que quisiera que su hijo hiciera más a menudo (página 30). Anote los objetivos de conducta y algunas palabras de felicitación que pueda usar para fomentar esas conductas. Trate de ser tan específico y descriptivo como sea posible.
>
> *recoger los juguetes, para cuando lo logra la dego q' hezo un buen trabajo y q' lo amo.*

Brinde atención a su hijo

Margen de edad recomendado: Todas las Edades. Hay muchas formas de dar atención. Una sonrisa, un guiño, una palmadita en la espalda o simplemente observar detenidamente son formas de atención que los niños disfrutan y permiten fomentar la conducta que usted desea. Estos actos fortalecen las felicitaciones y demuestran al niño cuán complacidos están sus padres con su conducta. También puede utilizar estas formas de atención para alentar a su hijo a comportarse bien en situaciones donde no podrá felicitarlo, como cuando estén con un grupo de amigos y su felicitación pueda causarle vergüenza.

EJERCICIO 6 *Formas de dar atención*

> Escriba algunas formas de cómo puede dar atención a su hijo.
>
> *acarcandome a el y escucharlo y siempre decoandole q' se pueda.*

Proporcione actividades entretenidas

Margen de edad recomendado: Todas las Edades. Fomente el juego independiente proporcionando actividades interesantes y entretenidas. Los ambientes seguros y llenos de actividades y exploraciones interesantes pueden estimular el desarrollo de los niños y mantenerlos ocupados. Proporcione a su hijo juguetes y actividades, tanto en casa como durante un paseo. Los juguetes y las actividades no tienen que ser costosos para resultar interesantes y divertidos para el niño.

EJERCICIO 7 *Ideas de actividades entretenidas*

Piense en algunas actividades entretenidas para el niño. Quizá pueda pedir consejos a otros padres. También podría pedir prestados algunos libros de juegos infantiles de la biblioteca local, la guardería, el jardín de niños o la escuela. Haga una lista de juegos y actividades para interiores y exteriores.

JUEGOS Y ACTIVIDADES PARA INTERIORES	JUEGOS Y ACTIVIDADES PARA EXTERIORES
legos	parques
carros	
bailar	
cantar	

Enseñe nuevas destrezas y conductas

El crecimiento incluye aprender destrezas nuevas y complejas como cepillar los dientes, vestirse, recoger las pertenencias y desarrollar estrategias para resolver problemas. Los padres necesitan saber cómo contribuir a que sus hijos aprendan esas destrezas. En las siguientes páginas se presentan algunas sugerencias.

Ponga un buen ejemplo

Margen de edad recomendado: Todas las Edades. Todos aprendemos observando a los demás. Para fomentar nuevas conductas, permita que su hijo le observe. Describa lo que está haciendo y deje que el niño copie sus actos. Brinde ayuda en caso necesario e invite a su hijo a intentarlo de nuevo sin su ayuda. Felicítelo cuando tenga éxito. No espere que el niño obedezca las reglas de la casa si ningún otro miembro de la familia las obedece. Por ejemplo, no puede esperar que el niño obedezca la regla de Recoger sus cosas si usted deja las suyas por todas partes. Ponga un buen ejemplo para mostrar al niño cómo debe comportarse.

EJERCICIO 8 *Cómo poner un buen ejemplo*

> Consulte su lista de objetivos de conducta para su hijo (página 30) y determine si hay algunas conductas que pueda fomentar poniendo un buen ejemplo. Haga una lista en este espacio.
>
> ser colaborador a mi hijo
> le gusta mucho ser colaborador

Utilice la enseñanza circunstancial

Margen de edad recomendado: 1-12 años. Cuando los niños se acerquen a usted en busca de información, ayuda o atención, a menudo lo hacen sintiéndose motivados y dispuestos a aprender. Usted está en condición de enseñar a su hijo algo nuevo -esto se llama enseñanza circunstancial. Si usted se limita a responder una pregunta, no lo ayudará a pensar por sí solo. Invítelo a responder y vea si puede ayudarle a aprender más -*¿De qué color crees que es? Sí, es rojo. ¿Qué otra cosa es roja?* El intercambio debe ser divertido y placentero, así que no le presione. Si el niño no responde, proporcione la respuesta y aguarde hasta la siguiente oportunidad de enseñanza.

Hay varios tipos de oportunidades de enseñanza que surgen a menudo. Piense cómo podría utilizar la enseñanza circunstancial en las siguientes situaciones.

Cuando su hijo haga preguntas, sobre todo las típicas de *¿por qué?* (por ejemplo, *¿Por qué la luna es redonda esta noche?*).

....

....

....

Cuando su hijo pronuncie mal una palabra (por ejemplo, *esgueti* en vez de *espagueti*).

Ano la Dego varias vacas
para gl gl laropita T la ngo
good Job

Cuando su hijo esté ocupado en una actividad y quiera mostrarle algo (por ejemplo, *¡Ven a ver mi dibujo!*).

la lavanto avaces a var
lo gl al Mi Quiara ansañar

....

Cuando su hijo esté frustrado en una actividad y pida ayuda (por ejemplo, *¡No puedo armar el rompecabezas!*).

Sa anoJa Mucho para avaces
Ma anoJo lo guardo y lo hajo
Ta misma H

3
Sesión

Utilice Preguntar, Responder, Hacer

Margen de edad recomendado: 3-12 años. Preguntar, Responder, Hacer es un buen sistema para que el niño adquiera independencia en actividades como vestirse, cepillar sus dientes o alistarse para ir a la cama. Cuando una tarea sea larga y difícil, enseñe al niño un paso a la vez. Siga la siguiente estrategia:

Preguntar

Pregunte al niño cuál es el primer paso - *¿Qué es lo primero que hacemos para cepillarnos los dientes?*

Responder

Si el niño no responde correctamente, indique con tranquilidad lo que debe hacer - *Primero, ponemos pasta en el cepillo. Ahora, déjame mostrarte cómo ponemos la pasta en el cepillo.*

Hacer

Si el niño no logra realizar la tarea, ayúdelo. Por ejemplo, destape el tupo de dentífrico, ponga sus manos sobre las del niño y diríjalo en la tarea. Deje de ayudarlo una vez que haya iniciado la tarea y permita que termine solo.

Felicítelo por su cooperación y éxito

Felicite al niño cuando coopere y tenga éxito en cada paso. Repetir lo que el niño dice o hace es una buena forma de alentarlo - *Así es. Ponemos pasta en el cepillo* o *Buen chico. Te cepillas estupendo*. Conforme el niño aprenda la nueva habilidad, puede recurrir cada vez con menos frecuencia al elogio.

Repita el Preguntar, Responder, Hacer en cada paso

Repita el proceso en cada paso de la tarea, como poner dentífrico en el cepillo, cepillarse los dientes, enjuagar la boca y demás. Brinde menos ayuda cada vez que el niño practique la tarea.

EJERCICIO 10 *Ideas para utilizar Preguntar, Responder, Hacer*

Elija una conducta o destreza que le gustaría que el niño aprendiera a realizar por su cuenta, como amarrar sus zapatos, usar el inodoro o bañarse solo.

Aplique Preguntar, Responder, Hacer en los primeros pasos de la tarea que desea enseñar. Éste es un ejemplo del primer paso para vestirse y desvestirse:

Conducta o destreza: Vestirse o desvestirse

PREGUNTAR	¿Qué es lo primero que hacemos al vestirnos por la mañana?
RESPONDER	Así es, nos quitamos la camisa de la pijama.
HACER	Es difícil desabrochar esos botones, te ayudaré con el primero.

Inicie su rutina de Preguntar, Responder, Hacer para los tres primeros pasos de la tarea que haya elegido.

Conducta o destreza: ....

PREGUNTAR	
RESPONDER	
HACER	

PREGUNTAR	
RESPONDER	
HACER	

PREGUNTAR	
RESPONDER	
HACER	

Utilice gráficas de conducta

Margen de edad recomendado: 2-12 años. A veces los niños necesitan alguna motivación adicional para modificar una conducta, practicar una nueva destreza o completar tareas establecidas. Las gráficas de conducta son de gran utilidad en estos casos. Representan una estrategia eficaz a corto plazo que puede utilizarse durante algunas semanas y luego eliminarse paulatinamente. El niño puede recibir estampillas, estrellas, caritas sonrientes, calcomanías o puntos en la gráfica por cada conducta deseada. Esto genera en el niño un sentimiento de logro y reconocimiento por sus esfuerzos.

La gráfica de conducta puede complementarse con una recompensa a cambio de cierta cantidad de estampillas o calcomanías. Algunas de las mejores recompensas consisten en actividades como un paseo familiar en bicicleta, tiempo especial con Mamá o Papá, ayudar a hornear un pastel o un día de campo. Otras recompensas incluyen pequeños gustos como elegir un vídeo de renta, la cena, un libro nuevo, una revista o un juguete poco costoso. Negocie las recompensas con su hijo. Pregunte qué le gustaría recibir a cambio de su esfuerzo -¡dentro de lo razonable! Éste es un ejemplo de una gráfica de conducta para estimular al niño a quedarse en su cama toda la noche. Observará que las recompensas son cada vez más difíciles de obtener una vez que el objetivo se logra con facilidad.

Mi gráfica de caritas felices por quedarme en mi cama toda la noche

DÍA 1	DÍA 2	DÍA 3	DÍA 4	DÍA 5	DÍA 6	DÍA 7
☺	☺		☺	☺	☺	
recompensa	recompensa		recompensa	recompensa	recompensa	

DÍA 8	DÍA 9	DÍA 10	DÍA 11	DÍA 12	DÍA 13	DÍA 14
☺	☺	☺	☺		☺	☺
recompensa						recompensa

Estos son algunos lineamientos para utilizar la gráfica de conducta:

- Prepare todas las cosas que necesitará. Trace la gráfica (vea el ejemplo anterior). Consiga estampillas, estrellas o calcomanías.

- Describa la conducta para la cual utilizará la gráfica. Describa la conducta en términos positivos, por ejemplo *Sentarse bien a la mesa durante la cena*, en vez de *No levantarse de la mesa*, o *Hablar bien* en vez de *No gritar*.

- Determine y explique la manera y frecuencia con que su hijo recibirá estampillas o calcomanías.

- Fije un objetivo para la cantidad de estampillas o calcomanías que debe obtener su hijo para recibir una recompensa. Fije un objetivo fácil al principio, de manera que el niño tenga por lo menos 2 días de éxito antes de que el objetivo se vuelva más difícil de alcanzar. Pida a su hijo que repita el objetivo para ganar estampillas o calcomanías, a fin de asegurarse de que haya entendido.

- Elija y explique las recompensas que su hijo puede ganar por una cantidad determinada de estampillas o calcomanías. Negocien recompensas prácticas -no muy costosas o difíciles de organizar.

- Elija y explique las consecuencias de romper una regla o no alcanzar el objetivo (consulte la Sesión 4: Manejo de la Mala Conducta).

- Felicite a su hijo cada vez que gane una estampilla o calcomanía.

- Ofrezca una recompensa cuando el niño alcance el objetivo. Si su hijo no alcanza el objetivo, no lo critique ni le retire las estampillas que ha ganado.

- Cuando su hijo alcance el objetivo todos los días, empiece a retirar las recompensas haciendo que sea más difícil obtenerlas. Por ejemplo, ofrezca una recompensa cada tercer día, luego al final de la semana. Si su hijo trabaja por una recompensa semanal, puede convertir la recompensa en un acontecimiento familiar que le ilusione. Las ocasiones especiales que no pueden organizarse todos los días pueden ser una motivación adicional para su hijo.

- Elimine gradualmente la gráfica y haga que las recompensas sean menos previsibles otorgándolas ocasionalmente. Siga elogiando al niño por su buena conducta. Siga utilizando consecuencias cuando ocurra una mala conducta (consulte Sesión 4: Manejo de la Mala Conducta).

Escriba la conducta para la que usará la gráfica de conducta. Asegúrese de expresar la conducta en términos positivos. Por ejemplo, la conducta buscada sería *Hacer lo que se te pide* en vez de *No ser desobediente* o *Hablar bien* en vez de *No decir palabras feas* o *Compartir* en vez de *No pelear por los juguetes.* Asegúrese de que el niño entienda la conducta.

....

....

....

....

Piense en lo que puede recibir el niño por la(s) conducta(s) deseable(s) (por ejemplo, estampillas, estampas, caritas sonrientes, puntos, estrellas) y cuántas necesita para conseguir una recompensa complementaria. Recuerde establecer objetivos fáciles al principio para que el niño sea recompensado por el esfuerzo adicional, luego los objetivos podrán ser cada vez más difíciles de alcanzar. De preferencia, el niño deberá recibir la primera recompensa complementaria el primer día en que haga anotaciones en la gráfica.

....

....

....

....

Describa las recompensas complementarias que podrá obtener por una cantidad específica de estrellas o calcomanías. Elija recompensas que el niño disfrute, como la visita de un amigo para jugar, ir al parque en bicicleta o su cena favorita. Hable de las recompensas con el niño para tener ideas de las cosas que le gustaría recibir a cambio de su esfuerzo.

....

....

....

....

Después de la siguiente sesión, tendrá que determinar las consecuencias que aplicará si el niño no cumple con la conducta deseada. En la siguiente sesión analizará con detalle las consecuencias.

> Anote todo lo que necesita comprar u organizar antes de que empiece a utilizar la gráfica (por ejemplo, calcomanías, recompensas complementarias).
>
> ....
>
> ....
>
> ....
>
> ....

CONCLUSIÓN

Resumen de la Sesión

En la sesión de hoy conoció los principios de la paternidad positiva y 10 estrategias de paternidad positiva. Las estrategias son:

- pase tiempo de calidad con su hijo
- hable con su hijo
- demuestre afecto
- felicite a su hijo
- brinde atención a su hijo
- proporcione actividades entretenidas
- ponga un buen ejemplo
- utilice la enseñanza circunstancial
- utilice Preguntar, Responder, Hacer
- utilice gráficas de conducta

■ TAREA EN CASA

> - Elija dos estrategias que quiera probar con su hijo. Lleve un registro del logro utilizando el formato de supervisión de la página 48. La sección Hojas de Trabajo incluye una copia adicional del formato. Anote las dos estrategias que pretende utilizar los próximos 7 días.
>
> ....
>
> ....
>
> ....
>
> ....
>
> - Pregunte a su hijo qué recompensa le gustaría recibir a cambio de su gráfica de conducta. Anote las recompensas en la página 45.

- Obtenga los materiales y prepare la gráfica de conducta, pero no empiece a usarla con el niño hasta después de la siguiente sesión, cuando tendrá más información sobre las consecuencias que aplicará en caso de mala conducta.

- Lleve un registro de la conducta del niño respondiendo el (los) formato(s) de supervisión que inició después de la Sesión 1. Puede trazar los datos en su gráfica de conducta.

- Como preparación para la Sesión 4, lea toda la información sobre la Sesión 4 en su manual y, de ser posible, vea el vídeo:

  - *Guía de Supervivencia para Todos los Padres*
    Parte 4, Manejo de la Mala Conducta

Mientras estudia este material, trate de anotar algunas ideas para cada uno de los ejercicios de la Sesión 4 de su manual. Podrá hablar de esas ideas en su siguiente cita.

Contenido de la siguiente Sesión

En la Sesión 4 estudiará las estrategias prácticas para manejar la mala conducta y ayudar al niño a desarrollar su autocontrol.

Para la siguiente cita, los dos padres (si los hay) deberán presentarse sin el niño, de ser posible. Si no puede hacer arreglos para que alguien cuide de su hijo, lleve consigo algunos juguetes y actividades para mantener ocupado al niño durante la sesión.

La siguiente cita será en casa/la clínica a las (hora) ....

el (día y fecha) ....

■ TAREA EN CASA

LISTA DE COMPROBACIÓN PARA PROMOVER EL DESARROLLO INFANTIL

Elija dos estrategias de la Sesión 3 que quisiera practicar con su hijo a lo largo de la siguiente semana. Sea tan específico como pueda (por ejemplo, un objetivo podría ser utilizar felicitaciones descriptivas por lo menos cinco veces al día). Utilice la siguiente tabla para hacer anotaciones y determinar si logra sus objetivos cada día. Haga comentarios sobre los logros y anote los problemas que hayan ocurrido.

OBJETIVO 1:

....

....

OBJETIVO 2:

....

....

DÍA	OBJETIVO 1 S/N	OBJETIVO 2 S/N	COMENTARIOS
1			
2			
3			
4			
5			
6			
7			

Manejo de la mala conducta

Sesión 4

GENERALIDADES

Todos los niños necesitan aprender a aceptar los límites y controlar su desilusión cuando no obtienen lo que desean. Para los padres, es difícil manejar estas situaciones, pero hay medios positivos y eficaces para ayudar a los niños a desarrollar autocontrol. Los niños aprenden autocontrol cuando sus padres utilizan consecuencias inmediatas, consistentes y decisivas para corregir una mala conducta. En esta sesión conocerá varias opciones para manejar los problemas de conducta de su hijo. Evalúe cada opción como una medida que podría aplicar a toda la familia. Habrá oportunidades para practicar estas estrategias y decidir cuáles prefiere.

OBJETIVOS

Al finalizar la Sesión 4, usted podrá:

- Establecer reglas de terreno adecuadas y analizarlas con su familia.

- Utilice la discusión orientada a ignorar deliberadamente para resolver un problema de conducta menor.

- Dar indicaciones con claridad y serenidad.

- Respaldar sus indicaciones con consecuencias lógicas, rato de silencio o tiempo fuera.

- Poner en práctica una gráfica de conducta.

Manejo de la Mala Conducta

Hay varias estrategias que los padres pueden utilizar para manejar una conducta difícil. Éstas son algunas ideas que le ayudarán a desarrollar estrategias de disciplina que brinden al niño la oportunidad de aliviar su frustración y aprender a aceptar límites.

Establecer reglas de terreno claras

Margen de edad recomendado: 3-12 años. Los niños necesitan límites para saber lo que se espera de ellos y cómo deben comportarse. Unas cuantas reglas de terreno (cuatro o cinco) son de gran utilidad. Las reglas deben indicar a los niños lo que pueden hacer, en vez de lo que no pueden hacer. *Camina dentro de la casa, Habla con voz suave* y *Controla tus manos y pies* son reglas más adecuadas que *No corras, No grites* y *No pelees.* Las reglas funcionan mejor si son justas, fáciles de observar y usted las respalda. Trate de hacer que su hijo participe en el proceso de decidir las reglas de terreno familiares.

Tal vez pueda organizar una reunión familiar para decidir algunas de las reglas con la familia. Los puntos importantes a recordar son:

- debe haber pocas reglas

- las reglas deben ser justas

- las reglas deben ser fáciles de seguir

- las reglas deben hacerse respetar

- las reglas deben expresarse en términos positivos

EJERCICIO **1** *Elegir las reglas de terreno*

En este espacio, anote cuatro o cinco reglas que le gustaría aplicar en su hogar.

....

....

....

....

....

....

....

....

....

4 Sesión

Utilice la discusión orientada para resolver el problema de romper reglas

Margen de edad recomendado: 3-12 años. La discusión orientada es más adecuada cuando el niño olvida ocasionalmente una regla básica. Consiste en llamar la atención de su hijo, comunicarle el problema, explicar brevemente por qué es un problema y describir la conducta adecuada o hacer que el niño la sugiera. De tal manera podrá practicar la conducta adecuada.

Por ejemplo – *Pablo, estás corriendo en la casa y podrías romper algo. ¿Cuál es nuestra regla para movernos dentro de la casa?... Ahora, muéstrame la manera correcta de moverse dentro de la casa. Regresa a la puerta y vuelve a empezar.* A fin de que la discusión orientada sea más eficaz, pida a su hijo que practique dos veces la conducta adecuada. Si el niño no obedece la indicación, recurra al rato de silencio (consulte la página 56).

EJERCICIO 2 *Ideas para usar la discusión orientada*

Piense en una regla que se rompa frecuentemente en casa o imagine que su hijo acaba de romper una regla nueva. Escriba lo que podría decirle al niño en cada paso de una discusión orientada para enseñarle la conducta correcta.

Situación:

....

....

Llame la atención de su hijo.

....

....

Informe el problema de manera breve, sencilla y calmada.

....

....

Explique brevemente por qué esa conducta es un problema.

....

....

Describa o pida al niño que sugiera la conducta correcta.

....

....

4

Sesión

Haga que el niño practique la conducta correcta.

....

....

Felicítelo por la conducta correcta.

....

....

Utilice ignorar deliberadamente para resolver un problema de conducta menor

Margen de edad recomendado: 1-7 años. Ignorar deliberadamente significa retirar la atención al niño cuando ocurre un problema de conducta menor. Los problemas menores incluyen lloriqueo, hablar con un tono de voz burlona y decir palabras ofensivas. Cuando ignore una conducta, no mire ni hable con el niño. Al principio, el niño se volverá más escandaloso, tratando de llamar su atención. En caso necesario, vuélvale la espalda y aléjese. Trate de conservar la calma y mantener un lenguaje corporal neutro. Si es necesario, respire hondo y despacio para conservar la calma. Ignore al niño mientras el problema persista. Tan pronto como su hijo interrumpa la conducta y se comporte debidamente, felicítelo. No ignore un problema más grave, como cuando el niño lastime a alguien o dañe una propiedad. Actúe de inmediato y de manera decidida (vea los Ejercicios 4-7).

¿En cuáles problemas menores puede utilizar ignorar deliberadamente?

....

....

....

....

¿Cuándo debe dejar de ignorar un problema de conducta menor?

....

....

....

....

¿Cuándo no debe utilizar ignorar deliberadamente?

....

....

....

....

4

Sesión

indicaciones claras y con serenidad

Margen de edad recomendado: 2-12 años. Es importante que dé a los niños indicaciones claras y directas. Cuando quiera que su hijo haga algo, esté preparado para respaldar su indicación. Es poco razonable que insista siempre en una obediencia inmediata. Cuando quiera que su hijo inicie una nueva tarea permítale, siempre que sea posible, terminar lo que está haciendo o espere a que haga una pausa en su actividad antes de darle una indicación. Si está ocurriendo un problema de conducta, actúe de inmediato. Cuando quiera que su hijo haga algo, siga los siguientes pasos:

Aproxímese y llame la atención del niño

Interrumpa lo que usted esté haciendo y acérquese al niño a una distancia desde donde pueda tocarlo alargando el brazo. Inclínese a la altura de sus ojos y llámelo por su nombre para lograr su atención.

Diga al niño lo que debe hacer

Sea específico, diga exactamente lo que quiere que el niño haga – *Elena, es hora de cenar. Ven a la mesa, por favor.* Si desea que su hijo deje de hacer algo, asegúrese de indicar lo que quiere que haga a cambio – *Andrés, deja de golpear a tu hermano. Controla tus manos.*

Dé al niño tiempo para cooperar

Haga una breve pausa para que el niño tenga tiempo de hacer lo que ha pedido. Unos 5 segundos son suficientes. Permanezca cerca del niño y obsérvelo.

Elogie la cooperación

Si su hijo coopera con su petición, elógielo – *Eduardo, gracias por hacer lo que te pedí.*

Repita la indicación

Si dio la indicación de que iniciara una nueva tarea, como prepararse para ir a la cama, repita la indicación si el niño no ha cooperado en un periodo de 5 segundos. Si le ha pedido que deje de hacer algo, no repita la indicación.

Respalde su indicación

Si el niño no coopera, respalde su petición con una consecuencia (consulte los Ejercicios 5, 6 y 7).

EJERCICIO 4 *Ideas para dar indicaciones claras y con serenidad*

Escriba algunos ejemplos de indicaciones claras y serenas que podría utilizar en las siguientes situaciones. Indique cuántas veces daría la indicación a su hijo:

Es hora de cenar.

....

....

....

El niño está saltando en el sofá.

....

....

....

Los juguetes están regados en el suelo.

....

....

....

El niño interrumpe su llamada telefónica.

....

....

....

Es hora de preparar al niño para salir de casa.

....

....

....

Respalde sus indicaciones con consecuencias lógicas

Margen de edad recomendado: 2-12 años. Las consecuencias lógicas son eficaces para problemas menores de conducta que no se presentan a menudo. Si el niño no obedece una regla o indicación clara, opte por una consecuencia adecuada para la situación. De ser posible, interrumpa la actividad o retire el juguete que es el centro del problema. Las consecuencias lógicas funcionan mejor si son breves – bastan 5 a 30 minutos. Cuando ocurra un problema, siga los siguientes pasos:

Interrumpa la actividad

No debata ni discuta con su hijo. Actúe tan pronto como surja el problema. Explique por qué ha retirado el juguete o interrumpido la actividad – *No estás compartiendo el rompecabezas, así que lo guardaré 5 minutos; o No te pusiste el casco, así que guarda tu bicicleta 30 minutos; o Siguen discutiendo por la televisión, así que la apagarán 10 minutos; o No han dejado la arena en el suelo, así que no usarán el arenero durante 5 minutos.*

Reanude la actividad

Recuerde cumplir con el acuerdo. Cuando se cumpla el tiempo, reanude la actividad para que el niño pueda practicar la conducta correcta. Trate de evitar que se repita la situación ayudando a su hijo a resolver el problema, por ejemplo, decidiendo quién tendrá el primer turno.

En caso necesario, utilice otra consecuencia

Si el problema se repite en la siguiente hora después de reanudar la actividad de su hijo, vuelva a interrumpir la actividad durante un periodo más prolongado, como el resto del día o utilice el rato de silencio (consulte la página 56).

Piense en algunas consecuencias lógicas para las siguientes situaciones y haga una nota de lo que le diría a su hijo.

El niño está jugando con su leche en la mesa, durante la cena.

....

....

....

El niño juega bruscamente con un juguete.

....

....

....

El niño se aleja caminando durante un paseo.

....

....

....

El niño está jugando peligrosamente en los columpios.

....

....

....

El niño está dibujando en la pared.

....

....

....

Utilice el rato en silencio para resolver problemas de conducta

Margen de edad recomendado: 18 meses-10 años. El rato de silencio es un método breve, leve y eficaz de ayudar a los niños a aprender una conducta más aceptable. Utilice el rato de silencio cuando su hijo no obedezca lo que usted ha pedido. El rato de silencio consiste en retirar al niño de la actividad que precipitó el problema y hacerlo sentarse en silencio, cerca de la actividad, durante un periodo corto. Cuando el niño esté en un rato de silencio, no le preste atención alguna. Es un periodo en el que debe permanecer callado, no hablar o llamar la atención. Cuando el niño haya permanecido en silencio durante el tiempo que usted haya determinado, podrá volver a participar en la actividad.

El rato de silencio suele aplicarse en la misma habitación donde ocurrió el problema. Puede utilizarse la cuna o corral del infante como área de silencio para niños de hasta

18 meses. Los niños mayores deberán sentarse en el suelo o una silla. Los ratos de silencio breves son más eficaces que los prolongados. Un minuto para niños de dos años, 2 minutos para edades de 3-5 años y un máximo de 5 minutos para niños de entre 5 y 10 años.

Es importante que su hijo sepa qué esperar antes de que usted empiece a utilizar el rato de silencio. Siéntese a explicar cuáles son las conductas específicas que resultarán en ratos de silencio y muestre a su hijo lo que ocurrirá repasando con él todos los pasos de la rutina del rato de silencio. Explique las reglas del rato de silencio. Compruebe que el niño haya entendido que debe permanecer callado durante el tiempo especificado para que pueda salir del rato de silencio.

Cuando ocurra una mala conducta, siga los siguientes pasos:

Diga a su hijo lo que debe hacer

Actúe rápidamente cuando detecte un problema de conducta. Acérquese al niño, llame su atención y dígale qué debe dejar de hacer – *Daniel, deja de empujar a tu hermana ahora mismo, juega suavemente con ella*. Si el problema de conducta se interrumpe, felicite al niño por hacer lo que usted pidió.

Respalde su indicación con rato en silencio

Si el problema de conducta continúa y vuelve a presentarse en la siguiente hora, diga a su hijo qué hizo mal – *No has dejado de empujar a tu hermana* – y cuál es la consecuencia – *Ahora irás a un rato en silencio*. Actúe con calma y firmeza. En caso necesario, lleve al niño al rato en silencio. Ignore protestas y no lo regañe, ni discuta o critique.

Recuérdele las reglas

Cuando lo deje para el rato en silencio, recuérdele que podrá volver a la actividad cuando haya permanecido en silencio el tiempo establecido. Si el niño no permanece sentado y en silencio durante ese periodo, llévelo a un tiempo fuera (consulte la página 59).

Después del rato en silencio

Cuando termine el rato de silencio, no vuelva a mencionar el incidente. Aliente a su hijo a encontrar algo que hacer. Felicítelo por una conducta deseable tan pronto como sea posible, después del rato de silencio. Si el problema de conducta se presenta nuevamente, tendrá que repetir la rutina del rato de silencio.

4

Sesión

¿Qué espacio de su casa podría utilizar para el rato en silencio?

....

....

¿Qué puede decir al niño cuando lo lleve al rato en silencio?

....

....

....

....

¿Qué puede decir al niño cuando lo deje en el rato en silencio?

....

....

....

....

¿Cuánto tiempo debe permanecer el niño en el rato en silencio?

....

....

¿Cuándo puede hablar nuevamente con el niño?

....

....

¿Qué puede decirle al niño cuando termine el rato en silencio?

....

....

....

....

¿Qué puede hacer si el niño no se calla en 10 segundos o no permanece sentado durante el rato en silencio?

....

....

....

....

Sesión 4

Utilice el tiempo fuera para resolver problemas de conducta graves

Margen de edad recomendado: 2-10 años. El tiempo fuera es una estrategia positiva que se utiliza en vez de gritar, amenazar o golpear al niño que se ha comportado mal. Cuando se usa correctamente, puede ser en extremo provechosa para que los niños aprendan autocontrol y adopten conductas más aceptables. La ventaja principal del tiempo fuera es que obliga al adulto a conservar la calma. Si usted se enfurece, corre el riesgo de perder los estribos y lastimar al niño. El tiempo fuera brinda a todos la oportunidad de tranquilizarse. Aproveche el tiempo fuera cuando su hijo no cumpla tranquilamente el rato de silencio o como consecuencia de un arranque de ira o una conducta grave como lastimar a otros.

El tiempo fuera es muy parecido al rato de silencio, sólo que el niño queda aislado en otra habitación, lejos de los demás. Deje la puerta abierta, aunque tal vez sea necesario cerrarla si el niño se niega a permanecer en la habitación. Si el dormitorio del niño está lleno de juguetes y otras actividades interesantes, tal vez deba utilizar otra habitación para el tiempo de aislamiento. El tiempo fuera debe ocurrir en una habitación poco interesante, pero segura, con buena iluminación y ventilación. Por ejemplo, instale protecciones para niños en el baño si va a usarlo en el tiempo fuera; para ello, retire o ponga bajo llave cualquier cosa peligrosa.

Los periodos cortos de tiempo fuera son más eficaces que los prolongados. Un minuto para niños de dos años, 2 minutos para edades de 3-5 años y un máximo de 5 minutos para niños de entre 5 y 10 años.

Es importante que su hijo sepa qué esperar antes de que usted empiece a utilizar el tiempo fuera. Siéntese a explicar cuáles son las conductas específicas que provocarán tiempos fuera y muestre a su hijo lo que ocurrirá repasando con él todos los pasos de la rutina del tiempo fuera. Explique las reglas del tiempo fuera. Compruebe que el niño haya entendido que debe permanecer callado durante el tiempo especificado para que pueda salir del tiempo fuera.

Los parámetros para utilizar el tiempo fuera son semejantes a los del rato de silencio. Cuando ocurra una falta de conducta grave, siga los siguientes pasos:

Diga a su hijo lo que debe hacer

Actúe rápidamente cuando detecte un problema de conducta. Acérquese al niño y llame su atención. Dígale qué debe dejar de hacer – *Deneb, deja de gritar ahora mismo* - y qué debe hacer a cambio – *Usa tu voz suave.* Felicite a su hijo si hace lo que usted pide.

Respalde su indicación con tiempo fuera

Si el niño no interrumpe la mala conducta en 5 segundos, dígale qué ha hecho mal – *No has hecho lo que te pedí* - y cuál es la consecuencia – *Ahora ve a un tiempo fuera, por favor.* Actúe con serenidad y firmeza. En caso necesario, lleve a su hijo al lugar donde cumplirá el tiempo fuera. Ignore cualquier protesta y no lo regañe, ni discuta o critique.

Recuérdele las reglas

Cuando lo deje para el tiempo fuera, recuérdele que podrá salir cuando haya permanecido en silencio el tiempo establecido. Deje la puerta abierta, aunque tal vez deba cerrarla si el niño no permanece en la habitación.

Ignore la mala conducta en el tiempo fuera

Algunos niños persisten en comportarse mal durante el tiempo fuera; suelen patear, dar alaridos o gritar. Si presta atención a la conducta, el tiempo fuera no funcionará. Esté preparado para persistir con su técnica. No hable con el niño ni le brinde atención hasta que permanezca callado el tiempo convenido.

Después del tiempo fuera

Cuando termine el rato en aislamiento, no vuelva a mencionar el incidente. Aliente a su hijo a participar en alguna actividad. Observe si se comporta bien y felicítelo. Si el problema de conducta se presenta nuevamente, tendrá que repetir la rutina del rato en aislamiento.

Lleve un registro

Es útil que anote cada ocasión en que utiliza el rato en aislamiento y el tiempo que transcurre para que el niño se tranquilice el tiempo establecido (consulte el Diario de Tiempo fuera en la página 69). Conforme su hijo aprenda la rutina del tiempo fuera, se tranquilizará con más rapidez y el tiempo fuera será cada vez menos necesario.

Problemas frecuentes con el rato en aislamiento

Algunos padres que prueban alguna versión del rato en aislamiento han descubierto que no funciona por alguna de las siguientes causas:

- *Permitieron que el niño decidiera el momento de salir.* Por ejemplo, el padre podría decir – *Amanda, no hables así en esta casa. Ve a tu cuarto y vuelve a salir cuando estés dispuesta a comportarte bien.* La niña simplemente entra en su habitación y sale de inmediato.

- *El tiempo fuera ha sido utilizado de manera inconsistente.* El tiempo fuera funciona mejor cuando los padres lo utilizan cada vez que ocurre un problema de conducta, en vez de amenazar con usarlo o utilizarlo de vez en cuando.

- *El niño sale del tiempo fuera mientras aún se encuentra agitado.* Esto representa un problema porque el niño aprende que si grita con la fuerza y el tiempo suficientes, saldrá del tiempo fuera. Salir del tiempo fuera debe depender de que el niño realmente se tranquilice, en vez de prometer que se portará bien o quedarse, simplemente, aislado durante el tiempo requerido. El tiempo fuera comienza cuando se interrumpen todos los ruidos y las protestas.

¿Qué habitación o espacio de su casa podría utilizar para el tiempo fuera?

....

....

¿Qué puede decir al niño cuando lo lleve al tiempo fuera?

....

....

....

....

¿Qué puede decir al niño cuando lo deje en el tiempo fuera?

....

....

....

....

¿Cuánto tiempo debe permanecer callado en el tiempo fuera?

....

....

¿Cuándo puede hablar nuevamente con el niño?

....

....

¿Qué puede decirle al niño cuando termine el tiempo fuera?

....

....

....

....

¿Qué puede hacer si el niño se niega a salir del tiempo fuera cuando termine el plazo?

....

....

....

....

4

Sesión

¿Qué puede hacer si el niño deja un desorden en la habitación del tiempo fuera?

....

....

....

....

¿Qué puede hacer si el niño salió del tiempo fuera antes que terminara el plazo?

....

....

....

....

¿Qué pasaría si amenazara a su hijo con utilizar el tiempo fuera?

....

....

....

....

¿Qué pasaría si dejara que el niño saliera del tiempo fuera sintiéndose todavía alterado?

....

....

....

....

Desarrollar rutinas de paternidad

El diagrama de flujo de la siguiente página muestra cómo combinar algunas de estas estrategias para crear una rutina de acatamiento u obediencia. Esta rutina será útil cuando quiera que el niño empiece una nueva tarea, como prepararse para ir a la cama, bañarse o cenar. Al observar esta rutina usted podrá romper la trampa de intensificación mencionada en la Sesión 2. Si sigue estos pasos, es probable que usted logre conservar la calma y su hijo tendrá menos tiempo para acrecentar la conducta.

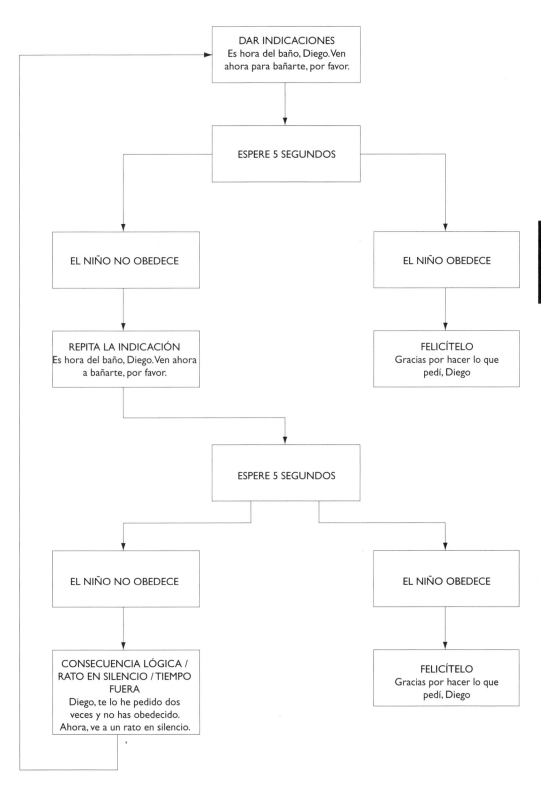

Tendrá oportunidad de practicar esta rutina en la sesión. Este ejercicio de práctica le permitirá determinar si se siente cómodo utilizando esta estrategia con su hijo. También le dará oportunidad de practicar las palabras que usará con el niño antes de hacerlo en la vida cotidiana. Utilice el siguiente espacio para hacer anotaciones sobre la rutina de acatamiento.

....

....

....

....

....

....

Otra rutina puede ser de utilidad cuando quiera que su hijo interrumpa un problema de conducta. Cuando esté ocurriendo un problema solo dé una indicación al niño sin recordatorio (a continuación). En la página 65 hallará ejemplos de rutinas para manejar agresión, berrinches, lloriqueos e interrupciones. Note las semejanzas entre las cuatro rutinas.

RUTINA PARA CORRECCIÓN DE CONDUCTA

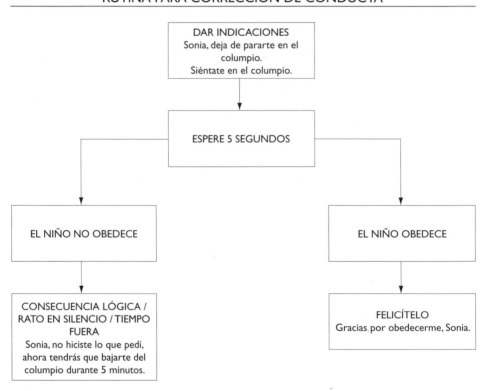

DAR INDICACIONES
Sonia, deja de pararte en el columpio.
Siéntate en el columpio.

ESPERE 5 SEGUNDOS

EL NIÑO NO OBEDECE

EL NIÑO OBEDECE

CONSECUENCIA LÓGICA / RATO EN SILENCIO / TIEMPO FUERA
Sonia, no hiciste lo que pedí, ahora tendrás que bajarte del columpio durante 5 minutos.

FELICÍTELO
Gracias por obedecerme, Sonia.

PELEAS O NEGARSE A COMPARTIR	BERRINCHES O ARREBATOS EMOCIONALES	LLORIQUEO O QUEJAS	INTERRUMPIR
Llame la atención del niño. Dígale que interrumpa la conducta y lo que debe hacer — *Deja de pelear por el juego. Toma un turno, por favor.*	Llame la atención del niño. Dígale que interrumpa la conducta y lo que debe hacer — *Por Favor, deja de gritar y habla con voz agradable.*	Llame la atención del niño. Dígale que interrumpa la conducta y lo que debe hacer — *Deja de lloriquear por el helado. Por favor, pídelo amablemente.*	Llame la atención del niño. Dígale que interrumpa la conducta y lo que debe hacer — *Deja de interrumpir. Di "Discúlpame" y espera a que yo esté desocupado.*
Agradezca al niño si obedece su indicación.	Agradezca al niño si obedece su indicación.	Agradezca al niño si obedece su indicación.	Si el niño obedece, cuando usted interrumpa la actividad agradézcale que haya esperado y bríndele su atención.
Si el problema persiste, diga al niño qué hizo mal y cuál es la consecuencia lógica — *No están compartiendo el juego, así que lo guardaré 5 minutos.* No discuta o argumente el punto.	Si el niño no obedece, dígale qué hizo mal – *No has hecho lo que pedí* – y cuál es la consecuencia – *Ahora irás a tiempo fuera.* No discuta ni argumente el punto. Llévelo directamente al tiempo fuera.	Si el niño no obedece, dígale qué hizo mal – *No has pedido las cosas amablemente* – y cuál es la consecuencia lógica – *Guardaré el helado 10 minutos. Vuelve a pedirlo más tarde.* No discuta ni argumente el punto.	Si el niño no obedece, dígale qué hizo mal – *Sigues interrumpiendo* – y cuál es la consecuencia – *Ahora irás aun rato en silencio.* No discuta ni argumente el punto.
Si el niño protesta o se queja, utilice ignorar deliberadamente.		Si el niño protesta o se queja, utilice ignorar deliberadamente.	Si el niño no permanece sentado en el rato en silencio, dígale qué hizo mal — *No estás callado en el rato en silencio* — y cuál es la consecuencia — *Ahora irás a un tiempo fuera.* Llévelo directamente al tiempo fuera.
Cuando se cumpla el tiempo, regréselo a la actividad. Felicite a los niños por compartir y tomar turnos. Si el problema vuelve a ocurrir, repita la consecuencia durante un periodo más largo o utilice el rato en silencio.	Cuando el niño haya estado en silencio durante el plazo indicado para el tiempo fuera, regréselo a la actividad y felicítelo por comportarse bien.	Cuando se cumpla el tiempo, si el niño ha dejado de lloriquear, felicítelo por guardar silencio y bríndele la oportunidad de pedir las cosas amablemente. Si pide las cosas con amabilidad, felicítelo y responda a su petición. Si el problema vuelve a presentarse, repita la consecuencia durante un periodo más largo o utilice el rato en silencio.	Cuando el niño haya estado en silencio durante el plazo indicado para el tiempo fuera, regréselo a la actividad y felicítelo por comportarse bien.

4 Sesión

Elija una conducta problema y en el siguiente espacio escriba lo que diría o haría en cada uno de los pasos principales para interrumpir el problema utilizando una rutina para corrección de conducta.

Conducta problema:

....

....

1. Llame la atención del niño. Dígale qué conducta debe interrumpir y qué debe hacer.

....

....

2. Felicítelo si obedece su indicación.

....

....

3. Si el niño no obedece, dígale cuál es el problema y la consecuencia, y aplique la consecuencia.

....

....

4. Ignore cualquier protesta o queja. Respalde su consecuencia en caso necesario.

....

....

5. Cuando haya terminado la consecuencia, regrese al niño a una actividad y felicítelo por comportarse bien.

....

....

Finalizar su Gráfica de Conducta

Se han presentado varias estrategias para manejar la mala conducta. Retome la gráfica de conducta que preparó en la Sesión 3. El último paso consiste en decidir las consecuencias cuando el niño no alcance el objetivo definido y para las ocasiones en que tenga una mala conducta.

EJERCICIO 10 *Consecuencias para gráficas de conducta*

¿Qué puede hacer si el niño no alcanza el objetivo establecido?

....

....

....

....

¿Qué puede hacer si el niño se comporta mal (por ejemplo, hace un berrinche)?

....

....

....

....

CONCLUSIÓN

Resumen de la Sesión

En la sesión de hoy conoció siete estrategias para manejar la mala conducta de los niños. Las estrategias son:

- establecer reglas de terreno claras

- utilizar la discusión orientada para resolver el problema de romper reglas

- utilizar ignorar deliberadamente para resolver problemas de conducta menores

- dar indicaciones claras y con serenidad

- respaldar las indicaciones con consecuencias lógicas

- utilizar el rato en silencio para resolver malas conductas

- utilizar el tiempo fuera para resolver malas conductas graves

También conoció la rutina de acatamiento y la rutina para corrección de conducta, que incluyen algunas de estas estrategias. También tuvo la oportunidad de finalizar su gráfica de conducta.

■ TAREA EN CASA

- Elija cuatro o cinco reglas de terreno y analícelas con su familia.

- Elija las estrategias que le gustaría probar con su hijo. Si decide utilizar el tiempo fuera, lleve un registro. Utilice el formato de supervisión de la página 69. Hallará una copa adicional del formato en la sección de Hojas de trabajo. Elija el momento para hablar con su hijo acerca de las estrategias, antes de aplicarlas. De ser posible, empiece a usar las nuevas estrategias un día en que usted se encuentre en casa y no haya presiones de tiempo u otras obligaciones que deba atender. Anote las estrategias que pretende utilizar durante los próximos 7 días.

....

....

....

....

- Ponga en práctica la gráfica de conducta que diseñó en la Sesión 3, con las consecuencias que acaba de elegir.

- Siga llevando un registro de la conducta del niño y trace los datos en su gráfica de conducta. Cuando empiece a utilizar las estrategias presentadas esta semana y en la Sesión 3, observe los cambios en la conducta del niño.

- Como preparación para la siguiente sesión, lea toda la información sobre la Sesión 5 en su manual.

Contenido de la siguiente sesión

Las Sesiones 5 a 7 son sesiones de práctica que pueden llevarse a cabo en casa o en la clínica. Estas sesiones de práctica le brindan la oportunidad de obtener apoyo y retroalimentación cuando use con su hijo las estrategias de paternidad positiva presentadas en las Sesiones 3 y 4. Trabaje con su practicante para establecer objetivos para la tarea de práctica. Consulte sus objetivos del Ejercicio 1, página 72. Durante las sesiones de práctica, le pedirán que haga un registro de la forma como utiliza sus estrategias, identificando sus fortalezas y debilidades, y estableciendo nuevos objetivos de cambio.

Para la siguiente cita, los dos padres (de haberlos) deberán acudir con el niño.

La siguiente cita será en casa/la clínica a las (hora) ....

el (día y fecha) ....

■ **TAREA EN CASA**

DIARIO DEL TIEMPO FUERA

Instrucciones: Anote el día, el problema de conducta, cuándo y dónde ocurrió, y la duración total del tiempo fuera.

Hora específica para el tiempo fuera: 2 minutos ☐   3 minutos ☐   4 minutos ☐   5 minutos ☐

DÍA	CONDUCTA PROBLEMA	CUÁNDO Y DÓNDE OCURRIÓ	DURACIÓN DEL TIEMPO FUERA

Sesión 4

Sesión de práctica 1

5

Sesión

GENERALIDADES

La sesión de hoy puede llevarse a cabo en su casa o en la clínica. Recuerde repasar sus objetivos para esta sesión antes de que llegueel practicante. Por favor, lea las estrategias de paternidad positiva presentadas en las Sesiones 3 y 4. Cuando llegue el practicante, le preguntará cuáles son sus objetivos para la sesión y organizará un ejercicio de práctica en el que pasará 15-20 minutos con su hijo. Después de la práctica, repasará con usted el uso de las estrategias de paternidad positiva y establecerá algunos objetivos para los próximos días.

OBJETIVOS

Al finalizar la Sesión 5, usted podrá:

- Utilizar estrategias de paternidad positiva de manera eficaz con su hijo.

- Monitorear la forma como utiliza las estrategias de paternidad positiva.

- Identificar sus fortalezas y debilidades en el uso de las estrategias de paternidad positiva.

- Definir objetivos específicos para prácticas posteriores.

Cómo empezar

Para que la sesión de práctica sea lo más ágil posible, por favor siga estos lineamientos si la sesión se lleva a cabo en su casa:

- Apague el televisor y los juegos de video y computadora durante toda la sesión de práctica.

- Sea breve cuando reciba llamadas telefónicas y evite hacer llamadas.

- Todos los miembros de la familia deben permanecer en la misma área durante el periodo de observación, para que el practicante pueda ver y oír fácilmente lo que sucede.

- No hable con el practicante durante el periodo de observación.

Práctica

EJERCICIO 1 *Determinar objetivos para la práctica*

Haga una lista de objetivos para la práctica de hoy — sea tan específico como pueda (por ejemplo, utilizar felicitaciones descriptivas tres veces; dar indicaciones claras y con serenidad; respaldar indicaciones con consecuencias lógicas, rato de silencio o tiempo fuera).

....

....

....

....

EJERCICIO 2 *Lleve un registro de lo que hace*

Durante la práctica, es conveniente que utilice las listas de comprobación de las siguientes páginas para recordar los pasos a seguir cuando resuelva algunos de los problemas de conducta comunes o una conducta en observación que haya acordado con el practicante. También puede consultarlas después de la práctica para saber cómo se desempeñó. Estas listas de comprobación le permiten identificar los pasos que siguió adecuadamente y cualquier paso que haya olvidado o necesite practicar. Esto le permitirá establecer objetivos de cambio. También puede utilizar las listas de comprobación en otro momento, cuando ocurra cualquiera de estos problemas de conducta. En la sección Hojas de trabajo encontrará copias adicionales de las listas de comprobación.

Instrucciones: Cuando ocurra alguna interrupción de la conversación o las actividades de los padres, anote Sí, No o NA (No Aplicable) para cada uno de los siguientes pasos.

	DÍA				
PASOS A SEGUIR	**¿PASOS COMPLETADOS?**				
1. Llame la atención de su hijo.					
2. Dígale que interrumpa la conducta y qué debe hacer – *Deja de interrumpir. Di "Discúlpame" y espera a que yo esté desocupado.*					
3. Si el niño obedece, cuando haya una interrupción en su actividad felicítelo por esperar y bríndele su atención.					
4. Si el niño no obedece, dígale que ha hecho mal – *Sigues interrumpiendo* – y cuál es la consecuencia – *Ahora irás a un rato en silencio.* En caso necesario, llévelo al rato en silencio. No discuta ni argumente el punto.					
5. Si el niño no permanece callado en el rato en silencio, dígale qué ha hecho mal – *No estás callado en el rato en silencio* – y cuál es la consecuencia – *Ahora irás a un tiempo fuera.* Llévelo directamente al tiempo fuera.					
6. Cuando el niño permanezca callado durante el tiempo establecido para el rato en silencio o el tiempo fuera, déjelo ocupado en alguna actividad.					
7. Tan pronto como sea posible, felicítelo por comportarse bien.					
CANTIDAD DE PASOS COMPLETADOS CORRECTAMENTE:					

Sesión 5

LISTA DE COMPROBACIÓN PARA RESOLVER PELEAS O NO COMPARTIR

Instrucciones: Cuando ocurran peleas, no compartir o tomar turnos con otros niños, anote Sí, No o NA (No Aplicable) para cada uno de los siguientes pasos.

PASOS A SEGUIR	DÍA				
	¿PASOS COMPLETADOS?				
1. Llame la atención de su hijo.					
2. Dígale que interrumpa la conducta y qué debe hacer – *Dejen de pelear por el juego. Tomen turnos, por favor.*					
3. Felicítelos si obedecen su indicación.					
4. Si el problema continúa, diga a su hijo qué hizo mal y cuál es la consecuencia lógica – *No comparten el juego, así que lo guardaré durante 5 minutos.* No discuta ni argumente el punto.					
5. Si el niño protesta o se queja, utilice ignorar deliberadamente.					
6. Cuando termine el lapso, devuelva la actividad.					
7. Tan pronto sea posible, felicite a los niños por compartir y tomar turnos.					
8. Si vuelve a presentarse el problema, repita la consecuencia lógica durante un periodo más prolongado o utilice el rato en silencio.					
CANTIDAD DE PASOS COMPLETADOS CORRECTAMENTE:					

LISTA DE COMPROBACIÓN PARA RESOLVER LA AGRESIÓN

Instrucciones: Cuando ocurra una agresión, anote Sí, No o NA (No Aplicable) para cada uno de los siguientes pasos.

	DÍA				
PASOS A SEGUIR	**¿PASOS COMPLETADOS?**				
1. Llame la atención de su hijo.					
2. Dígale que interrumpa la conducta y qué debe hacer – *Deja de golpear. Controla tus manos.*					
3. Felicítelo si obedece su indicación.					
4. Si el niño no obedece, dígale qué ha hecho mal – *Sigues golpeando* – y cuál es la consecuencia – *Ahora irás a un rato en silencio.* En caso necesario, llévelo al rato en silencio. No discuta ni argumente el punto.					
5. Si el niño no permanece callado en el rato en silencio, dígale qué ha hecho mal – *No estás callado en el rato en silencio* – y cuál es la consecuencia – *Ahora irás a un tiempo fuera.* Llévelo directamente al tiempo fuera.					
6. Cuando el niño permanezca callado durante el tiempo establecido para el rato en silencio o el tiempo fuera, déjelo ocupado en alguna actividad.					
7. Tan pronto como sea posible, felicítelo por comportarse bien.					
CANTIDAD DE PASOS COMPLETADOS CORRECTAMENTE:					

Sesión 5

Instrucciones: Cuando ocurra un arranque emocional (por ejemplo, gritos, llanto o pisotear el suelo), anote Sí, No o NA (No Aplicable) para cada uno de los siguientes pasos.

PASOS A SEGUIR	DÍA				
	¿PASOS COMPLETADOS?				
PUEDE					
A) Utilizar ignorar deliberadamente en niños menores de 2 años.					
O					
B) Llame la atención del niño como le sea posible y siga los siguientes pasos:					
1. Dígale que interrumpa la conducta y qué debe hacer – *Deja de gritar ahora mismo. Usa una voz agradable.*					
2. Felicítelo si obedece su indicación.					
3. Si el niño no obedece, dígale qué ha hecho mal – *No has hecho lo que te pedí* – y cuál es la consecuencia – *Ahora irás a un tiempo fuera.* No discuta ni argumente el punto. Llévelo directamente al tiempo fuera.					
4. Cuando el niño permanezca callado durante el tiempo establecido para el rato en silencio o el tiempo fuera, déjelo ocupado en alguna actividad.					
5. Tan pronto como sea posible, felicítelo por comportarse bien.					
CANTIDAD DE PASOS COMPLETADOS CORRECTAMENTE:					

LISTA DE COMPROBACIÓN PARA RESOLVER LLORIQUEOS

Instrucciones: Cuando ocurra el lloriqueo por cualquier motivo, anote Sí, No o NA (No Aplicable) para cada uno de los siguientes pasos.

PASOS A SEGUIR	DÍA				
	¿PASOS COMPLETADOS?				
1. Llame la atención del niño.					
2. Dígale que interrumpa la conducta y qué debe hacer – *Deja de lloriquear por un pedazo de pastel. Por favor, pídelo amablemente.*					
3. Felicítelo si obedece su indicación.					
4. Si el niño no obedece, dígale qué ha hecho mal – *No pides las cosas amablemente* – y cuál es la consecuencia – *Guardaré el pastel 10 minutos. Vuelve a pedirlo entonces.* No discuta ni argumente el punto.					
5. Si el niño protesta o se queja, utilice ignorar deliberadamente.					
6. Una vez transcurrido el tiempo, si el niño ha dejado de lloriquear, felicítelo por guardar silencio y bríndele la oportunidad de pedir amablemente lo que quiere.					
7. Si pide amablemente las cosas, felicítelo por comportarse así y responda a su petición.					
8. Si el problema vuelve a presentarse, repita la consecuencia lógica durante un periodo más prolongado o utilice el rato en silencio.					
CANTIDAD DE PASOS COMPLETADOS CORRECTAMENTE:					

Sesión 5

LISTA DE COMPROBACIÓN PARA RESOLVER UN PROBLEMA DE CONDUCTA

Instrucciones: Cuando ocurra un problema de conducta, anote Sí, No o NA (No Aplicable) para cada uno de los siguientes pasos.

	DÍA				
PASOS A SEGUIR	**¿PASOS COMPLETADOS?**				
CANTIDAD DE PASOS COMPLETADOS CORRECTAMENTE:					

¿Qué cosas cree usted que hizo bien durante la práctica? Revise los objetivos que definió en el Ejercicio 1. ¿Cuáles objetivos alcanzó?

....

....

....

....

....

....

....

....

¿Qué opina usted que pudo hacer de otra manera para mejorar esta práctica? Recuerde los objetivos que definió en el Ejercicio 1. ¿Hubo algún objetivo que no alcanzara?

....

....

....

....

....

....

....

....

5

Sesión

Otros asuntos

Puede utilizar el siguiente espacio para anotar otros asuntos analizados en la sesión.

....

....

....

....

....

....

....

....

CONCLUSIÓN

Resumen de la Sesión

En la sesión de hoy tuvo oportunidad de utilizar estrategias de paternidad positiva en presencia del practicante. También pudo refinar sus proyectos de paternidad monitoreando su propia conducta, identificando sus fortalezas y debilidades y estableciendo objetivos de cambio.

■ TAREA EN CASA

● Anote las tareas en casa que le gustaría realizar antes de la próxima sesión.

Destrezas a practicar:

....

....

....

....

- Otras tareas para realizar en casa y lecturas sugeridas:

  ....

  ....

  ....

  ....

- Siga llevando un registro de la conducta del niño y trace los datos en la gráfica de conducta. Revise regularmente su gráfica de conducta para determinar si continuará monitoreando la misma conducta. Deje de monitorearla cuando la conducta alcance un nivel que sea de su agrado y permanezca así durante cinco días consecutivos. A partir de ese momento puede comenzar a monitorear otra conducta que haya elegido.

- Antes de la siguiente sesión de práctica, determine los objetivos para la práctica y anótelos en el Ejercicio 1 de la página 84.

Contenido de la siguiente sesión

En la siguiente sesión tendrá oportunidad de llevar un registro de la forma como utiliza las estrategias de paternidad positiva. Se le pedirá que defina algunos objetivos específicos para la práctica, y luego que identifique sus fortalezas y debilidades y defina nuevos objetivos de cambio.

Para la siguiente cita, los dos padres (de haberlos) deberán acudir con el niño.

La siguiente cita será en casa/la clínica a las (hora) ....

el (día y fecha) ....

5 Sesión

Sesión de práctica 2

6

Sesión

GENERALIDADES

Esta sesión podría llevarse a cabo en su casa o en la clínica y le dará otra oportunidad para practicar las estrategias de paternidad positiva con su practicante. Recuerde determinar objetivos para la sesión de hoy antes de que llegue el practicante. Trate de aprovechar lo ocurrido en la última sesión. Es probable que sus objetivos de hoy tengan que ver con las destrezas que ha practicado en los últimos días. Nuevamente, le pedirán que lleve un registro de lo que hace, identifique sus fortalezas y debilidades y defina nuevos objetivos de cambio.

OBJETIVOS

Al finalizar la Sesión 6, usted podrá:

- Utilizar estrategias de paternidad positiva de manera eficaz con su hijo.

- Monitorear la forma como utiliza las estrategias de paternidad positiva.

- Identificar sus fortalezas y debilidades en el uso de las estrategias de paternidad positiva.

- Definir objetivos específicos para prácticas posteriores.

Cómo empezar

Para que la sesión de práctica sea lo más ágil posible, por favor siga estos lineamientos si la sesión se lleva a cabo en su casa:

- Apague el televisor y los juegos de video y computadora durante toda la sesión de práctica.

- Sea breve cuando reciba llamadas telefónicas y evite hacer llamadas.

- Todos los miembros de la familia deben permanecer en la misma área durante el periodo de observación, para que el practicante pueda ver y oír fácilmente lo que sucede.

- No hable con el practicante durante el periodo de observación.

Práctica

EJERCICIO **1** *Determinar objetivos para la práctica*

> Haga una lista de objetivos para la práctica de hoy — sea tan específico como pueda.
>
> ....
>
> ....
>
> ....
>
> ....

EJERCICIO **2** *Lleve un registro de lo que hace*

Durante la práctica, es conveniente que utilice las listas de comprobación de las siguientes páginas para recordar los pasos a seguir cuando resuelva algunos de los problemas de conducta comunes o una conducta en observación que haya acordado con el practicante. También puede consultarlas después de la práctica para saber cómo se desempeñó. Estas listas de comprobación le permiten identificar los pasos que siguió adecuadamente y cualquier paso que haya olvidado o necesite practicar. Esto le permitirá establecer objetivos de cambio. También puede utilizar las listas de comprobación en otro momento, cuando ocurra cualquiera de estos problemas de conducta. En la sección Hojas de trabajo encontrará copias adicionales de las listas de comprobación.

Sesión **6**

LISTA DE COMPROBACIÓN PARA RESOLVER INTERRUPCIONES

Instrucciones: Cuando ocurra alguna interrupción de la conversación o las actividades de los padres, anote Sí, No o NA (No Aplicable) para cada uno de los siguientes pasos.

PASOS A SEGUIR	DÍA ¿PASOS COMPLETADOS?				
1. Llame la atención de su hijo.					
2. Dígale que interrumpa la conducta y qué debe hacer – *Deja de interrumpir. Di "Discúlpame" y espera a que yo esté desocupado.*					
3. Si el niño obedece, cuando haya una interrupción en su actividad felicítelo por esperar y bríndele su atención.					
4. Si el niño no obedece, dígale qué ha hecho mal – *Sigues interrumpiendo* – y cuál es la consecuencia – *Ahora irás a un rato en silencio.* En caso necesario, llévelo al rato en silencio. No discuta ni argumente el punto.					
5. Si el niño no permanece callado en el rato en silencio, dígale qué ha hecho mal – *No estás callado en el rato en silencio* – y cuál es la consecuencia – *Ahora irás a un tiempo fuera.* Llévelo directamente al tiempo fuera.					
6. Cuando el niño permanezca callado durante el tiempo establecido para el rato en silencio o el tiempo fuera, déjelo ocupado en alguna actividad.					
7. Tan pronto como sea posible, felicítelo por comportarse bien.					
CANTIDAD DE PASOS COMPLETADOS CORRECTAMENTE:					

Sesión 6

Instrucciones: Cuando ocurran peleas, no compartir o tomar turnos con otros niños, anote Sí, No o NA (No Aplicable) para cada uno de los siguientes pasos.

PASOS A SEGUIR	DÍA				
	¿PASOS COMPLETADOS?				
1. Llame la atención de su hijo.					
2. Dígale que interrumpa la conducta y qué debe hacer – *Dejen de pelear por el juego. Tomen turnos, por favor.*					
3. Felicítelos si obedecen su indicación.					
4. Si el problema continúa, diga a su hijo qué hizo mal y cuál es la consecuencia lógica – *No comparten el juego, así que lo guardaré durante 5 minutos.* No discuta ni argumente el punto.					
5. Si el niño protesta o se queja, utilice ignorar deliberadamente.					
6. Cuando termine el lapso, devuelva la actividad.					
7. Tan pronto sea posible, felicite a los niños por compartir y tomar turnos.					
8. Si vuelve a presentarse el problema, repita la consecuencia lógica durante un periodo más prolongado o utilice el rato en silencio.					
CANTIDAD DE PASOS COMPLETADOS CORRECTAMENTE:					

Instrucciones: Cuando ocurra una agresión, anote Sí, No o NA (No Aplicable) para cada uno de los siguientes pasos.

	DÍA				
PASOS A SEGUIR	**¿PASOS COMPLETADOS?**				
1. Llame la atención de su hijo.					
2. Dígale que interrumpa la conducta y qué debe hacer – *Deja de golpear. Controla tus manos.*					
3. Felicítelo si obedece su indicación.					
4. Si el niño no obedece, dígale qué ha hecho mal – *Sigues golpeando* – y cuál es la consecuencia – *Ahora irás a un rato en silencio.* En caso necesario, llévelo al rato en silencio. No discuta ni argumente el punto.					
5. Si el niño no permanece callado en el rato en silencio, dígale qué ha hecho mal – *No estás callado en el rato en silencio* – y cuál es la consecuencia – *Ahora irás a un tiempo fuera.* Llévelo directamente al tiempo fuera.					
6. Cuando el niño permanezca callado durante el tiempo establecido para el rato en silencio o el tiempo fuera, déjelo ocupado en alguna actividad.					
7. Tan pronto como sea posible, felicítelo por comportarse bien.					
CANTIDAD DE PASOS COMPLETADOS CORRECTAMENTE:					

6

Sesión

Instrucciones: Cuando ocurra un arranque emocional (por ejemplo, gritos, llanto o pisotear el suelo), anote Sí, No o NA (No Aplicable) para cada uno de los siguientes pasos.

	DÍA				
PASOS A SEGUIR	¿PASOS COMPLETADOS?				
PUEDE A) Utilizar ignorar deliberadamente en niños menores de 2 años. O B) Llame la atención del niño como le sea posible y siga los siguientes pasos:					
1. Dígale que interrumpa la conducta y qué debe hacer – *Deja de gritar ahora mismo. Usa una voz agradable.*					
2. Felicítelo si obedece su indicación.					
3. Si el niño no obedece, dígale qué ha hecho mal – *No has hecho lo que te pedí* – y cuál es la consecuencia – *Ahora irás a un tiempo fuera.* No discuta ni argumente el punto. Llévelo directamente al tiempo fuera.					
4. Cuando el niño permanezca callado durante el tiempo establecido para el rato en silencio o el tiempo fuera, déjelo ocupado en alguna actividad.					
5. Tan pronto como sea posible, felicítelo por comportarse bien.					
CANTIDAD DE PASOS COMPLETADOS CORRECTAMENTE:					

Sesión 6

LISTA DE COMPROBACIÓN PARA RESOLVER LLORIQUEOS

Instrucciones: Cuando ocurra el lloriqueo por cualquier motivo, anote Sí, No o NA (No Aplicable) para cada uno de los siguientes pasos.

PASOS A SEGUIR	DÍA ¿PASOS COMPLETADOS?				
1. Llame la atención del niño.					
2. Dígale que interrumpa la conducta y qué debe hacer – *Deja de lloriquear por un pedazo de pastel. Por favor, pídelo amablemente.*					
3. Felicítelo si obedece su indicación.					
4. Si el niño no obedece, dígale qué ha hecho mal – *No pides las cosas amablemente* – y cuál es la consecuencia – *Guardaré el pastel 10 minutos. Vuelve a pedirlo entonces.* No discuta ni argumente el punto.					
5. Si el niño protesta o se queja, utilice ignorar deliberadamente.					
6. Una vez transcurrido el tiempo, si el niño ha dejado de lloriquear, felicítelo por guardar silencio y bríndele la oportunidad de pedir amablemente lo que quiere.					
7. Si pide amablemente las cosas, felicítelo por comportarse así y responda a su petición.					
8. Si el problema vuelve a presentarse, repita la consecuencia lógica durante un periodo más prolongado o utilice el rato en silencio.					
CANTIDAD DE PASOS COMPLETADOS CORRECTAMENTE:					

Sesión 6

Instrucciones: Cuando ocurra un problema de conducta, anote Sí, No o NA (No Aplicable) para cada uno de los siguientes pasos.

PASOS A SEGUIR	DÍA				
	¿PASOS COMPLETADOS?				
CANTIDAD DE PASOS COMPLETADOS CORRECTAMENTE:					

Sesión 6

¿Qué cosas cree usted que hizo bien durante la práctica? Revise los objetivos que definió en el Ejercicio 1. ¿Cuáles objetivos alcanzó?

....

....

....

....

....

....

....

....

¿Qué opina usted que pudo hacer de otra manera para mejorar esta práctica? Recuerde los objetivos que definió en el Ejercicio 1. ¿Hubo algún objetivo que no alcanzara?

....

....

....

....

....

....

....

....

Sesión **6**

Otros asuntos

Puede utilizar el siguiente espacio para anotar otros asuntos analizados en la sesión.

....

....

....

....

....

....

....

....

Resumen de la Sesión

En la sesión de hoy tuvo oportunidad de utilizar estrategias de paternidad positiva en presencia del practicante. También pudo refinar sus proyectos de paternidad monitoreando su propia conducta, identificando sus fortalezas y debilidades y estableciendo objetivos de cambio.

■ TAREA EN CASA

- Anote las tareas en casa que le gustaría realizar antes de la próxima sesión.

Destrezas a practicar:

....

....

....

....

- Otras tareas para realizar en casa y lecturas sugeridas:

  ....

  ....

  ....

  ....

- Siga llevando un registro de la conducta del niño y trace los datos en la gráfica de conducta. Revise regularmente su gráfica de conducta para determinar si continuará monitoreando la misma conducta. Deje de monitorearla cuando la conducta alcance un nivel que sea de su agrado y permanezca así durante cinco días consecutivos. A partir de ese momento puede comenzar a monitorear otra conducta que haya elegido.

- Antes de la siguiente sesión de práctica, determine los objetivos para la práctica y anótelos en el Ejercicio 1 de la página 96.

Contenido de la siguiente sesión

En la siguiente sesión tendrá oportunidad de llevar un registro de la forma como utiliza las estrategias de paternidad positiva. Se le pedirá que defina algunos objetivos específicos para la práctica, y luego que identifique sus fortalezas y debilidades y defina nuevos objetivos de cambio.

Para la siguiente cita, los dos padres (de haberlos) deberán acudir con el niño.

La siguiente cita será en casa/la clínica a las (hora) ....

el (día y fecha) ....

Sesión 6

Manual de Familia para Todos los Padres

Sesión de práctica 3

7

Sesión

GENERALIDADES

Esta sesión podría llevarse a cabo en su casa o en la clínica y le dará otra oportunidad para practicar las estrategias de paternidad positiva con su practicante. Recuerde determinar objetivos para la sesión de hoy antes de que llegue el practicante. Trate de aprovechar lo ocurrido en la última sesión. Es probable que sus objetivos de hoy tengan que ver con las destrezas que ha practicado en los últimos días. Nuevamente, le pedirán que lleve un registro de lo que hace, identifique sus fortalezas y debilidades y defina nuevos objetivos de cambio.

OBJETIVOS

Al finalizar la Sesión 7, usted podrá:

- Utilizar estrategias de paternidad positiva de manera eficaz con su hijo.

- Monitorear la forma como utiliza las estrategias de paternidad positiva.

- Identificar sus fortalezas y debilidades en el uso de las estrategias de paternidad positiva.

- Definir objetivos específicos para prácticas posteriores.

Cómo empezar

Para que la sesión de práctica sea lo más ágil posible, por favor siga estos lineamientos si la sesión se lleva a cabo en su casa:

- Apague el televisor y los juegos de video y computadora durante toda la sesión de práctica.

- Sea breve cuando reciba llamadas telefónicas y evite hacer llamadas.

- Todos los miembros de la familia deben permanecer en la misma área durante el periodo de observación, para que el practicante pueda ver y oír fácilmente lo que sucede.

- No hable con el practicante durante el periodo de observación.

Práctica

EJERCICIO 1 *Determinar objetivos para la práctica*

Haga una lista de objetivos para la práctica de hoy — sea tan específico como pueda.

....

....

....

....

EJERCICIO 2 *Lleve un registro de lo que hace*

Durante la práctica, es conveniente que utilice las listas de comprobación de las siguientes páginas para recordar los pasos a seguir cuando resuelva algunos de los problemas de conducta comunes o una conducta en observación que haya acordado con el practicante. También puede consultarlas después de la práctica para saber cómo se desempeñó. Estas listas de comprobación le permiten identificar los pasos que siguió adecuadamente y cualquier paso que haya olvidado o necesite practicar. Esto le permitirá establecer objetivos de cambio. También puede utilizar las listas de comprobación en otro momento, cuando ocurra cualquiera de estos problemas de conducta. En la sección Hojas de trabajo encontrará copias adicionales de las listas de comprobación.

LISTA DE COMPROBACIÓN PARA RESOLVER INTERRUPCIONES

Instrucciones: Cuando ocurra alguna interrupción de la conversación o las actividades de los padres, anote Sí, No o NA (No Aplicable) para cada uno de los siguientes pasos.

	DÍA				
PASOS A SEGUIR	¿PASOS COMPLETADOS?				
1. Llame la atención de su hijo.					
2. Dígale que interrumpa la conducta y qué debe hacer – *Deja de interrumpir. Di "Discúlpame" y espera a que yo esté desocupado.*					
3. Si el niño obedece, cuando haya una interrupción en su actividad felicítelo por esperar y bríndele su atención.					
4. Si el niño no obedece, dígale qué ha hecho mal – *Sigues interrumpiendo* – y cuál es la consecuencia – *Ahora irás a un rato en silencio.* En caso necesario, llévelo al rato en silencio. No discuta ni argumente el punto.					
5. Si el niño no permanece callado en el rato en silencio, dígale qué ha hecho mal – *No estás callado en el rato en silencio* – y cuál es la consecuencia – *Ahora irás a un tiempo fuera.* Llévelo directamente al tiempo fuera.					
6. Cuando el niño permanezca callado durante el tiempo establecido para el rato en silencio o el tiempo fuera, déjelo ocupado en alguna actividad.					
7. Tan pronto como sea posible, felicítelo por comportarse bien.					
CANTIDAD DE PASOS COMPLETADOS CORRECTAMENTE:					

7

Sesión

Instrucciones: Cuando ocurran peleas, no compartir o tomar turnos con otros niños, anote Sí, No o NA (No Aplicable) para cada uno de los siguientes pasos.

PASOS A SEGUIR	DÍA ¿PASOS COMPLETADOS?				
1. Llame la atención de su hijo.					
2. Dígale que interrumpa la conducta y qué debe hacer – *Dejen de pelear por el juego. Tomen turnos, por favor.*					
3. Felicítelos si obedecen su indicación.					
4. Si el problema continúa, diga a su hijo qué hizo mal y cuál es la consecuencia lógica – *No comparten el juego, así que lo guardaré durante 5 minutos.* No discuta ni argumente el punto.					
5. Si el niño protesta o se queja, utilice ignorar deliberadamente.					
6. Cuando termine el lapso, devuelva la actividad.					
7. Tan pronto sea posible, felicite a los niños por compartir y tomar turnos.					
8. Si vuelve a presentarse el problema, repita la consecuencia lógica durante un periodo más prolongado o utilice el rato en silencio.					
CANTIDAD DE PASOS COMPLETADOS CORRECTAMENTE:					

7

Sesión

LISTA DE COMPROBACIÓN PARA RESOLVER LA AGRESIÓN

Instrucciones: Cuando ocurra una agresión, anote Sí, No o NA (No Aplicable) para cada uno de los siguientes pasos.

PASOS A SEGUIR	DÍA ¿PASOS COMPLETADOS?				
1. Llame la atención de su hijo.					
2. Dígale que interrumpa la conducta y qué debe hacer – *Deja de golpear. Controla tus manos.*					
3. Felicítelo si obedece su indicación.					
4. Si el niño no obedece, dígale qué ha hecho mal – *Sigues golpeando* – y cuál es la consecuencia – *Ahora irás a un rato en silencio.* En caso necesario, llévelo al rato en silencio. No discuta ni argumente el punto.					
5. Si el niño no permanece callado en el rato en silencio, dígale qué ha hecho mal – *No estás callado en el rato en silencio* – y cuál es la consecuencia – *Ahora irás a un tiempo fuera.* Llévelo directamente al tiempo fuera.					
6. Cuando el niño permanezca callado durante el tiempo establecido para el rato en silencio o el tiempo fuera, déjelo ocupado en alguna actividad.					
7. Tan pronto como sea posible, felicítelo por comportarse bien.					
CANTIDAD DE PASOS COMPLETADOS CORRECTAMENTE:					

Sesión 7

Instrucciones: Cuando ocurra un arranque emocional (por ejemplo, gritos, llanto o pisotear el suelo), anote Sí, No o NA (No Aplicable) para cada uno de los siguientes pasos.

PASOS A SEGUIR	DÍA				
	¿PASOS COMPLETADOS?				
PUEDE A) Utilizar ignorar deliberadamente en niños menores de 2 años. O B) Llame la atención del niño como le sea posible y siga los siguientes pasos:					
1. Dígale que interrumpa la conducta y qué debe hacer – *Deja de gritar ahora mismo. Usa una voz agradable.*					
2. Felicítelo si obedece su indicación.					
3. Si el niño no obedece, dígale qué ha hecho mal – *No has hecho lo que te pedí* – y cuál es la consecuencia – *Ahora irás a un tiempo fuera.* No discuta ni argumente el punto. Llévelo directamente al tiempo fuera.					
4. Cuando el niño permanezca callado durante el tiempo establecido para el rato en silencio o el tiempo fuera, déjelo ocupado en alguna actividad.					
5. Tan pronto como sea posible, felicítelo por comportarse bien.					
CANTIDAD DE PASOS COMPLETADOS CORRECTAMENTE:					

Sesión 7

LISTA DE COMPROBACIÓN PARA RESOLVER LLORIQUEOS

Instrucciones: Cuando ocurra el lloriqueo por cualquier motivo, anote Sí, No o NA (No Aplicable) para cada uno de los siguientes pasos.

PASOS A SEGUIR	DÍA — ¿PASOS COMPLETADOS?				
1. Llame la atención del niño.					
2. Dígale que interrumpa la conducta y qué debe hacer – *Deja de lloriquear por un pedazo de pastel. Por favor, pídelo amablemente.*					
3. Felicítelo si obedece su indicación.					
4. Si el niño no obedece, dígale qué ha hecho mal – *No pides las cosas amablemente* – y cuál es la consecuencia – *Guardaré el pastel 10 minutos. Vuelve a pedirlo entonces.* No discuta ni argumente el punto.					
5. Si el niño protesta o se queja, utilice ignorar deliberadamente.					
6. Una vez transcurrido el tiempo, si el niño ha dejado de lloriquear, felicítelo por guardar silencio y bríndele la oportunidad de pedir amablemente lo que quiere.					
7. Si pide amablemente las cosas, felicítelo por comportarse así y responda a su petición.					
8. Si el problema vuelve a presentarse, repita la consecuencia lógica durante un periodo más prolongado o utilice el rato en silencio.					
CANTIDAD DE PASOS COMPLETADOS CORRECTAMENTE:					

7 Sesión

LISTA DE COMPROBACIÓN PARA RESOLVER UN PROBLEMA DE CONDUCTA

Instrucciones: Cuando ocurra un problema de conducta, anote Sí, No o NA (No Aplicable) para cada uno de los siguientes pasos.

	DÍA				
PASOS A SEGUIR	**¿PASOS COMPLETADOS?**				
CANTIDAD DE PASOS COMPLETADOS CORRECTAMENTE:					

¿Qué cosas cree usted que hizo bien durante la práctica? Revise los objetivos que definió en el Ejercicio 1. ¿Cuáles objetivos alcanzó?

....

....

....

....

....

....

....

¿Qué opina usted que pudo hacer de otra manera para mejorar esta práctica? Recuerde los objetivos que definió en el Ejercicio 1. ¿Hubo algún objetivo que no alcanzara?

....

....

....

....

....

....

....

Otros asuntos

Puede utilizar el siguiente espacio para anotar otros asuntos analizados en la sesión.

....

....

....

....

....

....

....

....

CONCLUSIÓN

Resumen de la Sesión

En la sesión de hoy tuvo oportunidad de utilizar estrategias de paternidad positiva en presencia del practicante. También pudo refinar sus proyectos de paternidad monitoreando su propia conducta, identificando sus fortalezas y debilidades y estableciendo objetivos de cambio.

■ TAREA EN CASA

● Anote las tareas en casa que le gustaría realizar antes de la próxima sesión.

Destrezas a practicar:

....

....

....

....

Sesión 7

- Otras tareas para realizar en casa y lecturas sugeridas:

....

....

....

....

- Siga llevando un registro de la conducta del niño y trace los datos en la gráfica de conducta. Revise regularmente su gráfica de conducta para determinar si continuará monitoreando la misma conducta. Deje de monitorearla cuando la conducta alcance un nivel que sea de su agrado y permanezca así durante cinco días consecutivos. A partir de ese momento puede comenzar a monitorear otra conducta que haya elegido.

- En preparación para la siguiente sesión, lea toda la información sobre la Sesión 8 en su manual. Mientras trabaja con ese material, trate de anotar algunas ideas para cada uno de los ejercicios. Podrá analizarlas en su próxima cita.

- Si es posible, vea la sección Ir de compras en el video Guía para Todos los Padres sobre Niños en Edad Preescolar.

Contenido de la siguiente sesión

En la Sesión 8 se le presentará una estrategia llamada Entrenamiento en Actividades Programadas para resolver "situaciones de alto riesgo", en la cual la conducta de los niños puede ser particularmente difícil de manejar.

Para la siguiente cita, los dos padres (si los hay) deberán acudir sin el niño, de ser posible. Si no puede hacer arreglos para que alguien cuide de su hijo, lleve consigo algunos juguetes y actividades para mantener ocupado al niño durante la sesión.

La siguiente cita será en casa/la clínica a las (hora) ....

el (día y fecha) ....

Sesión 7

Entrenamiento en Actividades Programadas

GENERALIDADES

A estas alturas, observará que ha mejorado la conducta de su hijo. Sin embargo, hay ocasiones o lugares especiales, llamados "situaciones de alto riesgo", donde resulta más difícil manejar la conducta del niño. Esas situaciones suelen ocurrir en ambientes que no han sido diseñados para niños (por ejemplo, donde hay pocas actividades o materiales de juego) y los niños tienen poco en qué ocuparse. Otros momentos de alto riesgo surgen cuando los padres tienen que hacer muchas cosas al mismo tiempo, o cuando hay presiones debido a que el tiempo es limitado (por ejemplo, las carreras de la mañana para prepararse para ir a la escuela y la oficina). Algunas situaciones de alto riesgo muy frecuentes incluyen ir de compras, visitar amigos o parientes, hacer filas (por ejemplo, en el banco) y prepararse para salir de casa. En estos casos, es fundamental programarse con un poco de anticipación. En esta sesión usted aprenderá a aplicar rutinas de actividades programadas para sus situaciones de alto riesgo. También tendrá oportunidad de revisar los cambios ocurridos en la conducta del niño y la suya propia desde que inició el programa Triple P Estándar.

OBJETIVOS

Al finalizar la Sesión 8, usted podrá:

- Identificar situaciones de alto riesgo en casa y en la comunidad, cuando será más difícil controlar a su hijo.

- Describir los seis pasos del diseño de una rutina de actividades programadas (es decir, prepararse con anticipación, hablar de las reglas, elegir actividades interesantes, fomentar la conducta adecuada, utilizar consecuencias para la mala conducta y tener una conversación posterior o de seguimiento).

- Diseñar, utilizar y monitorear sus rutinas de actividades programadas en dos situaciones de alto riesgo.

Actualización del progreso

EJERCICIO **1** *Revisar el progreso*

Anote todas las mejorías en la conducta del niño y la de usted desde que iniciaron el programa Triple P Estándar. Puede encontrar que es de mucha ayuda los objetivos de cambio que definió en la Sesión 2, Ejercicio 5 (página 30) de su manual.

CAMBIOS EN LA CONDUCTA DEL NIÑO	CAMBIOS EN LA CONDUCTA DE USTED

Haga una lista de cualquier cosa que haya empeorado en la conducta del niño o la de usted desde que iniciaron el programa Triple P Estándar.

CAMBIOS EN LA CONDUCTA DEL NIÑO	CAMBIOS EN LA CONDUCTA DE USTED

Haga una lista de los problemas de conducta del niño que no hayan cambiado desde que iniciaron el programa Triple P Estándar.

....

....

....

....

Situaciones de Alto Riesgo

EJERCICIO **2** *Identificar situaciones de alto riesgo*

Piense en situaciones que usted considera de alto riesgo. En la siguiente lista, ponga una marca junto a las situaciones en casa y la comunidad que pueden ser de alto riesgo para su familia. En la parte inferior hay un espacio que puede utilizar para anotar otras situaciones de alto riesgo. Califique su nivel de confianza para resolver la conducta del niño en cada situación de alto riesgo. Las calificaciones del nivel de confianza son de 1 (ninguna confianza) a 10 (absoluta confianza).

SITUACIONES EN CASA	✔	CALIFICACIÓN
• despertar, levantarse de la cama	☐	☐
• vestirse	☐	☐
• desayuno, comida o cena	☐	☐
• usar el baño o sanitario	☐	☐
• cuando usted está ocupado con tareas domésticas	☐	☐
• prepararse para salir (por ejemplo, a la escuela)	☐	☐
• cuando reciben visitas	☐	☐
• jugar dentro o fuera de casa	☐	☐
• ver televisión	☐	☐
• cuando usted habla por teléfono	☐	☐
• cuando usted está cocinando	☐	☐
• cuando los hermanos regresan de la escuela	☐	☐
• cuando uno de los padres vuelve a casa de la oficina	☐	☐
• desvestirse / prepararse para ir a la cama	☐	☐
• hora de acostarse	☐	☐
•	☐	☐
•	☐	☐
•	☐	☐

SITUACIONES EN LA COMUNIDAD		
• visitar amigos y parientes	☐	☐
• paseos en familia (por ejemplo, la playa)	☐	☐
• fiestas de cumpleaños / Navidad	☐	☐
• bodas / ceremonias / funerales	☐	☐
• días de asueto o vacaciones	☐	☐
• invitaciones a cenar	☐	☐
• visitas al médico / dentista	☐	☐

8 Sesión

	✔	CALIFICACIÓN
• viajar en auto	☐	☐
• viajar en transporte público	☐	☐
• de compras en el supermercado	☐	☐
• salidas a tiendas	☐	☐
• salidas al parque	☐	☐
• dejar al niño en la guardería / escuela	☐	☐
• dejar al niño con niñeras (u otros cuidadores)	☐	☐
•	☐	☐
•	☐	☐
•	☐	☐

Rutinas de Actividades Programadas

Si se prepara con anticipación a las situaciones de alto riesgo, evitará muchos problemas. La estrategia de actividades programadas consiste en resolver problemas con anticipación para evitar que luego ocurran problemas de conducta. La idea principal es preparar actividades interesantes y entretenidas para el niño en situaciones en las que podría mostrarse aburrido o inquieto. Si es claro acerca de lo que quiere que haga el niño, ayudará a prevenir problemas.

Es conveniente que, al principio, organice algunas sesiones de práctica. Elija un momento oportuno para practicar una nueva rutina en una situación de alto riesgo y mostrar al niño lo que ocurre. Asegúrese de no estar presionado para realizar tareas específicas en un tiempo determinado. Piense cuándo es conveniente organizar una sesión de práctica, dónde la llevarán a cabo y quién estará presente. Defina objetivos fáciles al principio y aumente la dificultad gradualmente (por ejemplo, empiece visitando a un amigo durante 10 minutos y luego haga que las visitas sean cada vez más prolongadas).

Los siguientes pasos serán la base de su programa para resolver situaciones de alto riesgo.

Prepárese con anticipación

Identifique lo que pueda preparar o programar antes de entrar en una situación de alto riesgo. Tenga a mano todo lo que necesita para la situación (por ejemplo, prepare varias actividades, haga una gráfica de conducta, lleve consigo las estampillas y recompensas, mochilas y prepare el almuerzo la noche anterior para evitar carreras de último minuto). Si van a salir, organice el viaje de manera que no modifique la rutina del niño, por ejemplo sus horarios de comida o siesta.

Hable de las reglas

Prepare al niño con anticipación describiendo lo que va a ocurrir. Elija reglas adecuadas para la situación y explíquelas de manera relajada al niño (por ejemplo, las reglas para viajar en auto pueden incluir: dejarse puesto el cinturón de seguridad; hablar con voz agradable; controlar pies y manos). Pida al niño que repita las reglas, felicítelo y estimúlelo cuando sea necesario. Justo antes de iniciar la situación de alto riesgo, recuérdele las reglas.

Elija actividades interesantes

Mantenga interesado al niño con actividades entretenidas durante la situación de alto riesgo. Haga una lista de actividades que puede usar para mantener entretenido al niño. Pídale que elija algunas actividades por su cuenta. Tal vez necesite ayuda para empezar. Aproveche las oportunidades que se presenten para interacciones divertidas, como la enseñanza circunstancial, para que el niño permanezca interesado y prolongue la actividad (por ejemplo, hable con el niño y hágale preguntas, cuente los objetos que pueden ver, organice un juego de "Veo, veo").

Utilice recompensas para la conducta adecuada

Haga una lista de las recompensas que puede obtener el niño por seguir las reglas. Asegúrese de que las recompensas sean prácticas e inmediatas. Es conveniente que prepare una gráfica de conducta especial para ciertas situaciones de alto riesgo. Explique las recompensas cuando hable de las reglas. Pregunte al niño si tiene alguna sugerencia para recompensas o alguna duda y felicítelo por participar en los preparativos. Felicítelo a menudo por la buena conducta en una situación de alto riesgo y ofrezca la recompensa si obedeció las reglas (por ejemplo, pueden visitar el parque cuando vayan de regreso a casa).

Utilice consecuencias para la mala conducta

Haga una lista de las consecuencias que el niño puede esperar si no sigue las reglas. Explique las consecuencias cuando hable de las reglas. Asegúrese de que las consecuencias sean prácticas e inmediatas (por ejemplo, el rato en silencio en las tiendas podría consistir en sentar al niño en silencio al frente de la tienda o en un pasillo y si la conducta se incrementa, sentarlo fuera de la tienda o en el auto con usted a un lado).

Repasen la situación

Después de una situación de alto riesgo, repase la experiencia con su hijo. Felicítelo por obedecer las reglas y, en caso necesario, describa una de las reglas que haya olvidado. Hablen de lo que usted o el niño consideren que debe cambiar y definan un nuevo objetivo para la siguiente ocasión en que surja la misma situación de alto riesgo (por ejemplo, *Hoy te portaste muy bien quedándote junto a mí todo el tiempo en el banco, pero veamos si la próxima vez recuerdas hablar con voz agradable en el banco*).

En la página 113 encontrará un ejemplo de rutina para ir de compras al supermercado. La rutina muestra la forma como se combinan todos los pasos para crear una rutina de actividades programadas.

EJEMPLO DE RUTINA DE ACTIVIDADES PROGRAMADAS

IDENTIFICAR LA SITUACIÓN DE ALTO RIESGO

- De compras en el supermercado

ESPECIFIQUE DETALLES PARA LA SESIÓN DE PRÁCTICA (CUÁNDO, DÓNDE, QUIÉN ESTARÁ PRESENTE)

- Una visita breve para comprar pan, leche y jugo en el supermercado local
- Mamá y un niño estarán presentes

LISTA DE PROGRAMACIÓN O PREPARACIÓN ANTICIPADA

- Evitar interrumpir los horarios de comida y siesta
- Preparar un pequeño bocadillo y una bebida
- Preparar la lista de compras

ELIJA LAS REGLAS

- Quédate cerca del carrito
- Sólo toca las cosas cuando mamá o papá digan que sí
- Camina por los pasillos

ELIJA ACTIVIDADES ATRACTIVAS

- Que tenga su propia lista de compras
- Buscar productos en cada pasillo
- Poner las cosas en el carrito
- Hablar de colores, precios, formas, contar los pasillos
- Que tome mi lista de compras, llaves o billetera

LISTA DE RECOMPENSAS PARA LA CONDUCTA ADECUADA

- Felicitación
- Empujar el carrito
- Actividad especial con uno de los padres (por ejemplo, visita al parque)
- Golosina o un turno en un juego mecánico
- Fichas para cambiarlas al terminar la sesión de compras

LISTA DE CONSECUENCIAS PARA LA MALA CONDUCTA

- Indicación clara y directa de Alto para un problema de conducta y precisar qué debe hacer
- Rato en silencio en el pasillo, centro comercial o estacionamiento
- Ninguna recompensa

OBJETIVOS DEL REPASO DE LA EXPERIENCIA

- Permanecer cerca del carrito

EJERCICIO **3** *Desarrollar una rutina de actividades programadas*

> Ahora tendrá oportunidad de diseñar su propia rutina de actividades programadas. La página 114 está en blanco. Desarrolle allí una de las situaciones de alto riesgo que indicó en la lista de comprobación de las páginas 110-111.

Identificar la situación de alto riesgo

....

Especifique detalles para la sesión de práctica (cuándo, dónde, quién estará presente)

....

....

....

Programación o preparación anticipada

....

....

....

Elija las reglas

....

....

....

Elija actividades atractivas

....

....

....

Recompensas para la conducta adecuada

....

....

....

Consecuencias para la mala conducta

....

....

....

Objetivos del repaso

....

....

....

Sesión 8

Resumen de la sesión

Después de revisar sus adelantos hasta el momento, se describieron seis pasos para organizar una rutina para situaciones de alto riesgo:

- preparar con anticipación

- hablar de las reglas

- elegir actividades interesantes

- fomentar la conducta adecuada

- utilizar consecuencias para la mala conducta

- repasar la experiencia

■ TAREA EN CASA

- Elija dos situaciones personales de alto riesgo y desarrolle rutinas de actividades programadas para cada una. Las páginas 117 y 118 ofrecen espacios en blanco para sus Rutinas de Actividades Programadas. Pruebe las dos rutinas por lo menos una vez durante la próxima semana. En las páginas 119 y 120 hallará formatos de monitoreo. Para responder esos formatos, anote cada paso de su rutina y luego señale si las completó o no en la situación de alto riesgo. En la sección Hojas de trabajo hallará copias adicionales de esos formatos. Anote las dos situaciones de alto riesgo que desea probar esta semana.

  ....

  ....

  ....

  ....

- Siga llevando un registro de la conducta del niño y trace los datos en la gráfica de conducta. Revise regularmente su gráfica de conducta para determinar si continuará monitoreando la misma conducta. Deje de monitorearla cuando la conducta alcance un nivel que sea de su agrado y permanezca así durante cinco días consecutivos. A partir de ese momento puede comenzar a monitorear otra conducta que haya elegido.

- Como preparación para la Sesión 9, utilice sus destrezas de programación anticipada para preparar una rutina de actividades programadas que fomente el juego independiente cuando usted se encuentre ocupado. Quizá deba tener a mano varias cosas (por ejemplo, estampillas, actividades) durante la sesión, para que pueda implementar su plan. Anote cada uno de los pasos de su rutina en el formato de supervisión de la página 123. Utilice esta lista de comprobación

8 Sesión

para llevar un registro de la forma como usted fomenta el juego independiente en la siguiente sesión. Prepárese anticipadamente para la tarea eligiendo las reglas para su hijo, así como las actividades interesantes que llevará a la sesión, las recompensas y consecuencias para respaldar sus reglas. Hable con el niño antes de acudir a la sesión y dígale qué espera de él, qué ocurrirá si obedece las reglas y qué sucederá si no lo hace.

- En la Sesión 9 se le pedirá que organice una actividad divertida para compartirla con su hijo durante unos 15 minutos. Piense en una actividad que podría disfrutar el niño (por ejemplo, juguetes, hacer algo juntos, proyectar una actividad familiar) y lleve con usted cualquier cosa que haga falta (por ejemplo, material artístico, camisas para pintar).

- Organice una salida para realizarla inmediatamente después de la siguiente sesión. En el Ejercicio 6 de la página 127 deberá anotar el lugar adonde irán, así como las reglas, recompensas y consecuencias que haya elegido.

Contenido de la siguiente sesión

En la Sesión 9 podrá revisar el éxito de sus rutinas de actividades programadas y seguirá diseñando nuevas rutinas para situaciones de alto riesgo. Con el niño presente en la siguiente sesión, podrá practicar la rutina de actividades programadas para fomentar el juego independiente, así como la enseñanza incidental y hablar de las reglas mientras se preparan para salir. Durante la sesión, identificará sus fortalezas y debilidades en el uso de esas estrategias. Es conveniente que repase la descripción de la enseñanza circunstancial descrita en las páginas 40 y 41. Como preparación para la conversación sobre las reglas, piense adónde podría ir inmediatamente después de la sesión y cuáles reglas serían las más adecuadas.

Para la siguiente cita, los dos padres (de haberlos) deberán acudir con el niño.

La siguiente cita será en casa/la clínica a las (hora) ....

el (día y fecha) ....

■ TAREA EN CASA

RUTINA DE ACTIVIDADES PROGRAMADAS

Identificar la situación de alto riesgo

....

Especifique detalles para la sesión de práctica (cuándo, dónde, quién estará presente)

....

....

....

Programación o preparación anticipada

....

....

Elija las reglas

....

....

....

Elija actividades atractivas

....

....

Recompensas para la conducta adecuada

....

....

Consecuencias para la mala conducta

....

....

Objetivos del repaso

....

....

....

■ TAREA EN CASA

RUTINA DE ACTIVIDADES PROGRAMADAS

Identificar la situación de alto riesgo

....

Especifique detalles para la sesión de práctica (cuándo, dónde, quién estará presente)

....

....

....

Programación o preparación anticipada

....

....

Elija las reglas

....

....

Elija actividades atractivas

....

....

Recompensas para la conducta adecuada

....

....

Consecuencias para la mala conducta

....

....

Objetivos del repaso

....

....

....

Sesión 8

■ TAREA EN CASA

LISTA DE COMPROBACIÓN PARA ACTIVIDADES PROGRAMADAS

Situación: _____

Instrucciones: Cuando ocurra esta situación, anote Sí, No o NA (No Aplicable)
para cada uno de los siguientes pasos.

PASOS A SEGUIR	DÍA				
	¿PASOS COMPLETADOS?				
1					
2					
3					
4					
5					
6					
CANTIDAD DE PASOS COMPLETADOS CORRECTAMENTE:					

■ TAREA EN CASA

LISTA DE COMPROBACIÓN PARA ACTIVIDADES PROGRAMADAS

Situación: _____

Instrucciones: Cuando ocurra esta situación, anote Sí, No o NA (No Aplicable) para cada uno de los siguientes pasos.

	DÍA				
PASOS A SEGUIR	**¿PASOS COMPLETADOS?**				
1					
2					
3					
4					
5					
6					
CANTIDAD DE PASOS COMPLETADOS CORRECTAMENTE:					

Sesión 8

Implementación de Actividades Programadas

GENERALIDADES

Durante esta sesión podrá practicar tres rutinas de actividades programadas. Para empezar, debe preparar al niño para el juego independiente u ocuparse en una actividad tranquila e interesante mientras usted trabaja con el practicante. Luego, utilizando la actividad que ha llevado con usted a la sesión, podrá compartir algún tiempo de calidad con su hijo. Para terminar, se le pedirá que utilice la rutina de actividades programadas para prepararse para salir. Como parte de estas prácticas, tendrá que utilizar cada uno de los seis pasos de la rutina de actividades programadas, incluyendo preparación o programación anticipada, hablar de las reglas con el niño, proporcionar actividades interesantes, respaldar las reglas con recompensas y consecuencias y repasar la experiencia. Para que la sesión sea ágil, prepárese junto con el niño con anticipación. Durante la sesión, también podrá desarrollar una rutina de actividades programadas para otra situación de alto riesgo.

OBJETIVOS

Al finalizar la Sesión 9, usted podrá:

- Utilizar rutinas de actividades programadas en diversas situaciones, como cuando se encuentre ocupado y tenga que salir.

- Desarrollar, utilizar y supervisar rutinas de actividades programadas según lo requieran las situaciones de alto riesgo.

- Utilizar estrategias de paternidad positiva como enseñanza incidental, atención y felicitación para promover la participación del niño en una actividad independiente.

- Utilizar estrategias de paternidad positiva para resolver interrupciones.

- Acceder a información sobre otros problemas de crianza, en caso necesario.

Fomentar el juego independiente

EJERCICIO **1** *Preparar al niño para la actividad independiente*

En la primera parte de esta sesión, se le pedirá que hable con el practicante mientras su hijo juega independientemente o participa en una actividad interesante. Esta situación es parecida a cuando visitan a otros adultos que no tienen niños. En este ejercicio tendrá oportunidad de implementar los seis pasos de su rutina de actividades programadas para fomentar el juego independiente mientras usted se encuentra ocupado. Es conveniente que consulte su Lista de comprobación para actividades programas en la página 123.

Al iniciar la sesión, prepare al niño recordándole qué debe esperar en esta situación, así como las reglas, recompensas y consecuencias que usted haya elegido. Luego, pase algunos minutos iniciando la actividad con el niño antes de volver su atención al practicante. Recuerde interrumpir al practicante de vez en cuando para felicitar al niño y mostrar interés en su actividad. En caso necesario, el practicante le indicará que atienda al niño en intervalos regulares. Esté preparado para utilizar estrategias de paternidad positiva para resolver las interrupciones del niño.

Al final del ejercicio, el practicante le pedirá que determine cómo se desempeñó usted en esta rutina. Piense en las cosas que hizo bien y lo que podría cambiar. En caso necesario, determinen nuevos objetivos para la siguiente ocasión.

9 Sesión

LISTA DE COMPROBACIÓN PARA ACTIVIDADES PROGRAMADAS

Situación: _____

Instrucciones: Cuando ocurra esta situación, anote Sí, No o NA (No Aplicable) para cada uno de los siguientes pasos.

PASOS A SEGUIR	DÍA				
	¿PASOS COMPLETADOS?				
1					
2					
3					
4					
5					
6					
CANTIDAD DE PASOS COMPLETADOS CORRECTAMENTE:					

Sesión 9

Repaso de la Tarea en casa

EJERCICIO 2 *Repase su uso de las rutinas de actividades programadas*

¿Cuáles fueron sus tareas a practicar en la Sesión 8?

....

....

....

....

¿Qué funcionó? Es conveniente que consulte su Lista de comprobación para actividades programadas.

....

....

....

....

¿Hay algo que pueda cambiar? Tal vez observe algunos pasos que omitió o pueda mejorar de su Lista de comprobación para actividades programadas.

....

....

....

....

Fíjese nuevos objetivos para la siguiente ocasión en que utilice las rutinas de actividades programadas.

....

....

....

....

Programación adicional

EJERCICIO 3 *Desarrolle más rutinas de actividades programadas*

Durante la sesión, diseñe una rutina de actividades programadas para otra de sus situaciones de alto riesgo. En la página 125 hallará otro formato en blanco.

Identificar la situación de alto riesgo

....

Especifique detalles para la sesión de práctica (cuándo, dónde, quién estará presente)

....

....

....

Programación o preparación anticipada

....

....

Elija las reglas

....

....

Elija actividades atractivas

....

....

Recompensas para la conducta adecuada

....

....

Consecuencias para la mala conducta

....

....

Objetivos del repaso

....

....

....

Sesión 9

EJERCICIO **4** *Repaso de la experiencia*

El último paso para establecer una rutina de actividades programadas consiste en repasar con el niño su conducta durante la situación de alto riesgo. El objetivo es que el niño sepa qué hizo bien en la situación (es decir, las reglas que observó) y en caso necesario, establecer nuevos objetivos para lo que pueda cambiar en la próxima ocasión (es decir, recordarle la regla que no obedeció).

Hable con su hijo de lo bien que estuvo jugando independientemente mientras usted se encontraba ocupado con el practicante. Hable con el niño de las cosas que hizo bien y en caso necesario, defina un objetivo para la siguiente ocasión. Prepare al niño para la transición a la siguiente actividad. Quizá tenga que indicarle que recoja sus cosas antes de proceder con el Ejercicio 5.

Actividad

EJERCICIO **5** *Realizar actividades juntos*

En este ejercicio usted volverá a implementar los seis pasos de su rutina de actividades programadas con el niño. Sin embargo, esta vez tendrá más oportunidad de practicar con las destrezas de paternidad positiva para fomentar la participación en una actividad.

Prepare al niño recordándole qué debe esperar y cuánto tiempo durará la actividad. Hable con su hijo acerca de las reglas para la actividad elegida, así como las recompensas y consecuencias para respaldar dichas reglas. Haga todo lo necesario para preparar la habitación para la actividad (por ejemplo, mueva muebles, distribuya papel periódico para usar pinturas). Durante la actividad, utilice estrategias de paternidad positiva como conversar con el niño, felicitarlo y aplicar la enseñanza incidental a fin de promover el interés del niño en la actividad. Después de 10 a 15 minutos, prepare al niño para la transición a la siguiente actividad. Usted deberá hacer que su niño ordene esta actividad antes de continuar con el Ejercicio 6.

Al final del ejercicio, el practicante le pedirá que determine cómo se desempeñó usted en esta rutina. Piense en las cosas que hizo bien y lo que podría cambiar. En caso necesario, determinen nuevos objetivos para la siguiente ocasión.

Sesión **9**

Prepararse para salir

El primer paso de cualquier rutina de actividades programadas es preparar al niño con anticipación para nuevas situaciones. Pueden evitarse muchos problemas si los niños saben qué va a ocurrir y qué se espera de ellos. El siguiente ejercicio le dará la oportunidad de preparar al niño y hablar de las reglas mientras se preparan para salir. Como preparación para este ejercicio, piense adónde pueden ir inmediatamente después de la sesión. Luego piense en las reglas que le gustaría analizar con el niño, así como las recompensas y consecuencias que usará para respaldar las reglas.

EJERCICIO 6 *Hablar de las reglas con el niño*

¿Adónde irán inmediatamente después de la sesión?

....

....

....

....

Enumere las reglas que analizará con el niño.

....

....

....

....

¿Qué recompensas recibirá el niño si obedece las reglas?

....

....

....

....

¿Qué consecuencias utilizará si el niño no obedece las reglas?

....

....

....

....

Después de analizar las reglas con el niño, el practicante le pedirá que evalúe su actuación. Piense en las cosas que hizo bien y lo que podría cambiar. En caso necesario, determinen nuevos objetivos para la siguiente ocasión.

Resumen de la sesión

En la sesión de hoy tuvo oportunidad de utilizar estrategias de paternidad positiva en diversas situaciones. Utilizó estrategias de paternidad positiva como enseñanza circunstancial, felicitar y atender al niño para promover su interés en las actividades. También llevó un registro de sus fortalezas y debilidades en el uso de las destrezas de paternidad positiva.

■ TAREA EN CASA

- Utilice dos de sus rutinas de actividades programadas antes de la siguiente sesión. Hallará dos formatos de supervisión en las páginas 130 y 131. Para responder los formatos, escriba cada paso de su rutina y luego anote si los realizó o no en la situación de alto riesgo. En la sección Hojas de trabajo encontrará copias adicionales de los formatos. Anote dos situaciones de alto riesgo que pretenda practicar esta semana.

....

....

....

....

- Supervise la misma conducta que comenzó a observar después de la Sesión 1. Esto le permitirá identificar los cambios ocurridos en la conducta de su hijo desde que iniciaron el programa Triple P Estándar.

- Como preparación para la siguiente sesión, lea toda la información de la Sesión 10 en su manual. Mientras estudia este material, trate de anotar algunas ideas para cada uno de los ejercicios. Podrá hablar de esas ideas en su siguiente cita.

Contenido de la siguiente sesión

En la última sesión observará lo que ha cambiado desde que inició el programa Triple P estándar y determinará si ha alcanzado los objetivos que determinó al inicio del programa. La sesión también le brindará algunas ideas para seguir trabajando después que terminen las sesiones Triple P.

Para la siguiente cita, los dos padres (si los hay) deberán acudir sin el niño, de ser posible. Si no puede hacer arreglos para que alguien cuide de su hijo, lleve consigo algunos juguetes y actividades para mantener ocupado al niño durante la sesión.

La siguiente cita será en casa/la clínica a las (hora) ....

el (día y fecha) ....

■ TAREA EN CASA

LISTA DE COMPROBACIÓN PARA ACTIVIDADES PROGRAMADAS

Situación: _____

Instrucciones: Cuando ocurra esta situación, anote Sí, No o NA (No Aplicable) para cada uno de los siguientes pasos.

PASOS A SEGUIR	DÍA				
	¿PASOS COMPLETADOS?				
1					
2					
3					
4					
5					
6					
CANTIDAD DE PASOS COMPLETADOS CORRECTAMENTE:					

Sesión 9

■ TAREA EN CASA

LISTA DE COMPROBACIÓN PARA ACTIVIDADES PROGRAMADAS

Situación: _____

Instrucciones: Cuando ocurra esta situación, anote Sí, No o NA (No Aplicable)
para cada uno de los siguientes pasos.

PASOS A SEGUIR	DÍA				
	¿PASOS COMPLETADOS?				
1					
2					
3					
4					
5					
6					
CANTIDAD DE PASOS COMPLETADOS CORRECTAMENTE:					

Sesión 9

Sesión de Cierre

10

Sesión

GENERALIDADES

Esta sesión presenta recomendaciones para la supervivencia familiar y estrategias para mantener los cambios realizados durante el programa. Es importante que mantenga estas mejoras a largo plazo. También revisará los logros de su familia con el programa Triple P Estándar y desarrollará algunas rutinas para más situaciones de alto riesgo. Al finalizar la sesión, responderá un folleto de cuestionarios como el que respondió al iniciar el programa. Estos formatos le ayudarán a identificar los cambios ocurridos en su conducta y la del niño como consecuencia de haber terminado el programa Triple P Estándar.

OBJETIVOS

Al finalizar la Sesión 10, usted podrá:

- Utilizar recomendaciones para la supervivencia familiar que facilitarán su labor en la paternidad.

- Utilizar estrategias de paternidad positiva en casa y la comunidad.

- Diseñar rutinas para situaciones de alto riesgo.

- Identificar cambios en la conducta de usted y su hijo desde que iniciaron el programa Triple P Estándar.

- Mantener los cambios realizados hasta ahora.

- Establecer nuevos objetivos de cambio en la conducta de usted y de su hijo, y decidir cómo alcanzarán esos objetivos.

- Definir objetivos específicos para prácticas posteriores.

Repaso de la Tarea en casa

EJERCICIO 1 *Repasar el uso de rutinas de actividades programadas*

¿Cuáles fueron sus tareas de práctica en la Sesión 9?

....

....

....

....

¿Qué funcionó? Es conveniente que consulte su Lista de comprobación para actividades programadas.

....

....

....

....

¿Hay algo que hubiera cambiado? Tal vez haya algunos pasos en su Lista de comprobación para actividades programadas que haya omitido o pueda mejorar.

....

....

....

....

Defina nuevos objetivos personales para la próxima vez que utilice rutinas de actividades programadas.

....

....

....

....

10
Sesión

Recomendaciones para la supervivencia familiar

Es más fácil atender las necesidades de los hijos cuando usted también atiende las propias. He aquí algunas ideas adicionales que pueden facilitar la paternidad.

Trabajen en equipo

La paternidad se facilita cuando los dos padres (de haberlos) y otros adultos encargados de la atención concuerdan en los métodos disciplinarios. Los padres deben apoyarse y respaldarse mutuamente en sus esfuerzos de paternidad. Antes de recurrir a nuevas estrategias, analice el plan con su pareja y cualquier otra persona que participe en la educación y cuidado del niño.

Eviten discutir en presencia del niño

Los niños son muy sensibles al conflicto entre adultos. Se alteran fácilmente si hay disputas frecuentes y no se resuelven. Si surge un desacuerdo importante, traten de ventilarlo en un momento en que el niño no esté presente.

Pidan ayuda

Todos necesitamos ayuda cuando estamos criando a nuestros hijos. Padres, familiares, amigos y vecinos pueden ofrecernos ayuda. Compartan ideas y comparen experiencias.

Tomen un descanso

Todos necesitamos pasar algún tiempo lejos de nuestros hijos. Esto es normal y muy saludable. Si el niño está bien atendido y han compartido abundante tiempo de calidad, no resultará afectado si se separan de vez en cuando. Lo importante es la calidad, no la cantidad de tiempo que pasan juntos.

¿A quién pide apoyo?

Parientes ....

Amigos ....

¿Qué puede hacer para aumentar su red de apoyo, en caso necesario?

....

....

....

Anote las cosas que le gustaría hacer (por su cuenta o con su pareja o amigos).

....

....

....

Piense cuándo puede darse un descanso la próxima semana y a quién puede recurrir para cuidar al niño.

....

....

Retiro gradual del programa

Durante este programa, entraron muchas cosas en su vida que son bastante artificiales – cosas que difícilmente ocurren en condiciones normales dentro de su familia. Los ejemplos incluyen tareas en casa, llevar registros de su conducta y la del niño, y leer los materiales del programa. Un aspecto importante para terminar el programa consiste en renunciar a esas cosas y volver a la vida normal. Esto no significa regresar a todo lo que ocurría antes del programa. El objetivo en esta etapa es renunciar a los procedimientos artificiales del programa, sin regresar a los patrones de conducta anteriores. A continuación se sugieren varios pasos para ayudarle a realizar esta transición.

Guarde los materiales del programa

Guarde los materiales del programa en algún lugar accesible, para que pueda sacarlos y revisarlos de vez en cuando. Quizá prefiera marcar o sacar las secciones del material que le han sido más útiles, a fin de hallarlas fácilmente cuando las necesite.

Retire gradualmente la supervisión

A lo largo del programa, se le ha pedido que lleve un registro o que monitoree/supervise lo que hacen usted y su hijo. En la vida diaria, casi nadie lleva un registro continuo de lo que ocurre con su comportamiento o el del niño. Si sigue haciendo un registro de los logros, determine si se han establecido bien sus nuevas conductas. Si considera que pueden mantener esas conductas sin llevar un registro, es hora de dejar la supervisión. Si tiene dudas, empiece a retirar gradualmente la supervisión. Vigile su conducta y la del niño con menos frecuencia, por ejemplo una vez por semana en vez de todos los días, y trate de eliminar por completo la supervisión cuando se sienta seguro del logro.

Retire gradualmente las estrategias específicas

Analice los tipos de estrategias específicas que ha implementado, como las gráficas de conducta. Determine si puede simplificarlas y retirarlas gradualmente. Algunas sugerencias que hemos hecho, como felicitar al niño a menudo por una conducta particular, son muy útiles para cambiar conductas. A fin de mantener una conducta, es conveniente recompensarla de manera impredecible y de vez en cuando, en vez de cada vez que se presente la conducta.

Cambie las gráficas de conducta y utilice recompensas gradualmente. Asegúrese de que haya suficientes recompensas en la vida de su hijo. Los problemas de conducta pueden volver a presentarse si los niños no reciben suficiente estímulo y apoyo para recompensar una conducta adecuada.

Revise regularmente los logros

Durante el programa, atendió los problemas de la familia todos los días o semanalmente. Ahora puede abandonar un poco esa estrategia. Sin embargo, es importante que se mantenga al tanto de lo que hace su familia. A fin de identificar a tiempo cualquier problema o retroceso, haga una revisión de los logros por lo menos una vez al mes.

Revisión de logros

Cuando inició el programa Triple P Estándar, identificó los cambios que le gustaría observar en la conducta de su hijo, así como en la de usted.

EJERCICIO 3 *Identificar los cambios realizados*

Dedique unos minutos a responder la siguiente tabla, describiendo los cambios que han realizado usted y su hijo desde que comenzaron el programa. Es conveniente que revise los objetivos que anotó en la página 30 de este manual.

CAMBIOS EN LA CONDUCTA DEL NIÑO	CAMBIOS EN LA CONDUCTA DE USTED

Felicidades por los cambios que logró en usted y los cambios que su hijo alcanzó con su ayuda.

Mantener el cambio

Obstáculos para mantener el cambio

Éstas son algunas causas frecuentes que impiden mantener las mejoras logradas con un programa como Triple P.

Transiciones familiares

Triple P le ha ayudado a realizar cambios para resolver la conducta de su hijo. Los cambios que ha hecho fueron diseñados para adecuarse a las condiciones actuales de su familia. Sin embargo, las familias cambian con el tiempo. Crecen y se desarrollan y cambian de tamaño. Las transiciones o cambios frecuentes de una familia incluyen el nacimiento de un hijo, el cambio de empleo de uno de los padres (por ejemplo, volver a integrarse a la fuerza de trabajo, conseguir un segundo empleo o quedar desempleado); cambios en la estructura familiar (por ejemplo, separación de los padres o inicio de nuevas relaciones de pareja), crecimiento de los niños e inicio de nuevas etapas del desarrollo.

Etapas del desarrollo infantil

Los tipos de problemas de conducta infantil que enfrentan los padres cambian conforme los niños crecen (por ejemplo, de los berrinches de un niño que empieza a caminar a problemas con las tareas escolares). La paternidad exitosa requiere de flexibilidad. Conforme varíen los problemas, también deberán cambiar las estrategias utilizadas para resolver esos problemas. Es por eso que indicamos márgenes de edad recomendados para las estrategias de paternidad positiva descritas en las Sesiones 3 y 4. Las estrategias que hoy son útiles con su hijo tal vez no lo sean dentro de 6 meses o 6 años. La buena noticia es que, sin importar cuál sea la edad del niño, los principios básicos no cambian. Los niños seguirán respondiendo bien a una disciplina consistente, eficaz y adecuada y crecerán mejor en un ambiente que les proporcione amor y apoyo.

Épocas de alto riesgo

Sin duda habrá épocas en su vida en las que será difícil mantener los cambios que ha realizado como parte del programa Triple P. Nuestras investigaciones sugieren que las destrezas de comunicación y la calidad de la vida familiar tienden a disminuir durante periodos de estrés. Esos periodos se conocen como épocas de alto riesgo. Por ejemplo, una muerte en la familia, una enfermedad grave, la pérdida del empleo o cualquier otra alteración importante afectará las emociones de los miembros de la familia y las relaciones entre todos. Estos acontecimientos probablemente afectarán aspectos como la forma como los padres hablan con sus hijos, su disponibilidad para los demás, su tolerancia a la mala conducta y la capacidad para prepararse y resolver problemas. Es en estas épocas cuando los padres no pueden aplicar las estrategias de paternidad positiva para resolver problemas familiares y cuando tienden a regresar a las actitudes anteriores y poco eficaces para criar a los hijos. Algunas épocas de alto riesgo comunes son:

- cambios en las finanzas familiares
- épocas en que los padres se sienten deprimidos
- épocas de conflicto familiar
- mudanzas
- renovar o construir una casa
- cambio de escuela
- muerte o enfermedad en la familia
- participación en un proceso legal

Otra época de alto riesgo para muchas personas se presenta inmediatamente después de terminar un programa como Triple P. Por desgracia, la conclusión de un programa no significa que haya terminado el trabajo arduo.

Lineamientos para mantener el cambio

Con preparación y cuidado, es posible evitar o minimizar muchos de los problemas potenciales relacionados con transiciones familiares, épocas de alto riesgo y cambios relacionados con el crecimiento de los niños. A continuación ofrecemos cuatro pasos clave para superar los obstáculos que impiden mantener los cambios y, así, evitar retrocesos.

Prepárese para situaciones de alto riesgo

Una buena forma de evitar problemas consiste en prepararse para resolver épocas potencialmente difíciles antes de que empiecen los problemas. Así como se prepara para mantener entretenido al niño y evitar dificultades durante una salida, necesita prepararse para situaciones futuras en las que puedan surgir conflictos. Inicie el proceso ahora. Más adelante, en esta sesión, pasará algún tiempo pensando en posibles situaciones de alto riesgo que pueden presentarse en los próximos 6 meses. Minimizará los problemas si desarrolla estrategias para resolver estas situaciones antes de que se presenten.

Revise los logros de su familia

Si revisa los logros de su familia regularmente, es más probable que pueda detectar cualquier problema que se presente. También podrá tomar medidas necesarias para prevenir recaídas. Revise sus logros cada 2 semanas, al principio, y luego cada mes.

Actúe de inmediato si hay problemas

Es importante que actúe con rapidez si la situación empieza a deteriorarse. Quizá decida retomar estrategias de paternidad específicas (como rutinas de actividades programadas o gráficas de conducta). Tal vez sea útil que vuelva a leer los materiales para consultar estrategias o buscar nuevas ideas.

Pruebe nuevas estrategias

Si las estrategias existentes ya no resultan, pruebe nuevas cosas. Recuerde lo que ha aprendido – dé mucha atención y apoyo a su hijo cuando se comporte bien y quítele su atención cuando haya mala conducta. Trate de encontrar la manera de adaptar sus estrategias a nuevas situaciones. Pruebe la nueva rutina durante 10 a 14 días y continúe o modifíquela en caso necesario. A continuación se presentan algunos lineamientos para elegir consecuencias adecuadas.

- *Las consecuencias deben tener relación con la mala conducta.* Cuando las consecuencias se relacionan directamente con la mala conducta, los niños aprenden qué hicieron mal. Por ejemplo, cuando pelean por un juguete, quitarles el juguete les ayudará a aprender que no es aceptable pelear por los juguetes. Cuando no se le ocurra una consecuencia relacionada directamente con la mala conducta, es mejor quitar el privilegio o suspender la actividad y explicar por qué lo hace. Un periodo corto sin el privilegio o la actividad es mucho más eficaz que un plazo largo.

- *Las consecuencias deben ser un incentivo para la buena conducta.* Para fomentar la buena conducta, hay que dar a los niños la oportunidad de practicarla. Por ejemplo, castigarlo tres semanas por llegar tarde a casa no brinda a su hijo la oportunidad o una razón para comportarse bien en el futuro inmediato. Una consecuencia más adecuada sería que, por cada 5 minutos de retraso, pierda media hora del tiempo que tendrá para volver a casa al día siguiente (es decir, si no llega tarde, puede volver a casa a las 5:00 p.m. al día siguiente; 5 minutos tarde, tiene que regresara a casa a las 4:40 p.m.; 10 minutos tarde, de vuelta a casa a las 4:00 p.m.). Estas consecuencias dan a los niños un incentivo para tratar de volver a casa puntualmente al día siguiente. Si el niño no quiere apagar el televisor para hacer los deberes escolares, en vez de prohibirle la televisión durante 2 semanas, permítale mirar televisión por la noche después que haya terminado sus deberes escolares.

- *Las consecuencias deben ser adecuadas a la edad y etapa de desarrollo del niño.* Modifique las consecuencias para que sean adecuadas a la edad y capacidad de su hijo. Por ejemplo, las consecuencias para niños pequeños suelen durar menos que para los niños más grandes. Los niños mayores responderán a consecuencias como reducir el dinero para gastos, tareas domésticas adicionales, menos acceso a los juegos de computadora y menos tiempo con sus amigos después de la escuela.

- *Las consecuencias no deben poner en riesgo el sentimiento de valía y autoestima del niño.* Los castigos demasiado duros, prolongados o que implican un castigo verbal o físico pueden dañar a su hijo. Muchos niños con problemas de conducta también presentan baja autoestima, o están ansiosos o deprimidos. Los castigos hacen que esos niños se sientan peor consigo mismos. Evite consecuencias que pongan en evidencia al niño (por ejemplo, salga de la habitación con su hijo en vez de resolver el problema en presencia de las visitas), evite que los hermanos mayores provoquen al niño que está en tiempo fuera y evite que regañen o critiquen a su hijo.

- *Las consecuencias deben aplicarse.* No amenace con una consecuencia si no está dispuesto a cumplirla. Por ejemplo, si dice al niño que no puede acompañar a la familia en una excursión porque se ha portado mal, esté preparado para cumplir la consecuencia y busque a una persona que cuide al niño mientras el resto de la familia sale de paseo.

- *Las consecuencias deben ser inmediatas.* En general, los niños aprenden más rápido y relacionan mejor sus actos con las consecuencias si las consecuencias son inmediatas. Por ejemplo, si el niño se comporta mal durante un viaje largo en el auto, detenga el vehículo y póngalo en rato de silencio en vez de aguardar a llegar a su destino para aplicar la consecuencia.

- *Las consecuencias deben aplicarse de manera consistente.* Los niños aprenden mejor los resultados de sus actos si reciben las mismas consecuencias cada vez que repiten la misma mala conducta. Para que no se sientan criticados, asegúrese de tratar a todos los niños de la misma forma. Aplique consecuencias similares por mala conducta similar a todos los niños en su familia. También es conveniente que haga las modificaciones necesarias para la edad de cada niño. Utilice las consecuencias consistentemente a pesar de las excusas de los niños. Esto evitará que se quejen y protesten sus decisiones.

Cómo resolver problemas en el futuro

EJERCICIO 4 *Prepárese para situaciones futuras de alto riesgo*

Dedique unos minutos a diseñar soluciones posibles a las siguientes situaciones. Hable de sus ideas con el practicante y tome notas si lo considera necesario. ¿Qué haría si…?

Su hijo de 8 años se ha metido en dificultades durante los últimos tres fines de semana en partidos de fútbol porque gritó a sus compañeros de equipo y pateó la pelota hacia los espectadores, debido a que no metió un gol u ocasionó un penal. A usted le preocupa que lo echen del equipo si continúan sus arranques emocionales.

....

....

....

....

....

....

Su hija de 11 años es víctima de unos bravucones en la escuela. Dos niñas han empezado a insultarla y excluirla de sus juegos. Su hija vuelve a casa llorando y se queja de estar enferma todas las mañanas, antes de ir al colegio. También empieza a insultarse ella misma (llamándose estúpida o fea) y dice que es una buena para nada.

....

....

....

....

....

....

....

10
Sesión

Las vacaciones de verano empiezan en 3 semanas. Tendrá en casa, todos los días, tres niños en edad escolar durante varias semanas y sin duda surgirán disputas familiares y protestas de estar aburridos.

....

....

....

....

....

....

EJERCICIO 5 *Identifique situaciones futuras de alto riesgo*

Hable con su practicante de cualquier acontecimiento o situación de alto riesgo que pueda ocurrir en los próximos 6 meses (por ejemplo, ir al dentista, cambio de escuela, uno de los padres comenzará un empleo de medio tiempo). Haga una lista de las situaciones en el espacio que se proporciona a continuación.

....

....

....

....

....

....

EJERCICIO 6 *Resuelva problemas de manera independiente*

Utilice el formato en blanco de la página 144 para diseñar una rutina que le permita resolver una de las situaciones potenciales de alto riesgo que acaba de identificar.

10

Sesión

LISTA DE COMPROBACIÓN PARA ACTIVIDADES PROGRAMADAS

Situación: _____

Instrucciones: Cuando ocurra esta situación, anote Sí, No o NA (No Aplicable) para cada uno de los siguientes pasos.

PASOS A SEGUIR	DÍA				
	¿PASOS COMPLETADOS?				
1					
2					
3					
4					
5					
6					
CANTIDAD DE PASOS COMPLETADOS CORRECTAMENTE:					

Objetivos futuros

EJERCICIO 7 *Identifique futuros objetivos*

Dedique unos minutos a reflexionar en otros objetivos personales que
tengan que ver con sus destrezas de paternidad y la conducta de su hijo.
Hable de esos objetivos con el practicante y anótelos en el siguiente espacio.

....

....

....

....

....

....

Evaluación final

EJERCICIO 8 *Responda el Folleto de Evaluación Número Dos*

Ahora que ha terminado el programa, el practicante le dará una copia del
Folleto de Evaluación Número Dos, que deberá responder. Son los mismos
formatos que respondió al iniciar el programa. El objetivo es evaluar los
cambios ocurridos durante el programa y determinar si el programa ha
cumplido con las necesidades de su familia. Por favor, tómese el tiempo
para responder los cuestionarios considerando la situación familiar en este
momento.

10
Sesión

Resumen de la sesión

En la sesión de hoy recibió recomendaciones para la supervivencia familiar que le facilitarán la tarea de la paternidad. Revisó los cambios positivos que han ocurrido desde que inició el programa Triple P y analizó la manera de mantener esos cambios. Hablamos de la manera de prevenir problemas en situaciones futuras de alto riesgo. También definió nuevos objetivos para el futuro.

■ TAREA EN CASA

- Guarde sus materiales de Triple P Estándar en un lugar accesible y empiece a retirar gradualmente los registros de supervisión o las listas de comprobación que esté respondiendo.

- Siga utilizando sus estrategias de paternidad positiva y sus rutinas para situaciones de alto riesgo.

Tome nota de cualquier otra tarea en casa o lectura que le gustaría realizar.

....

....

....

....

....

....

Felicitaciones

Ya ha terminado el programa Triple P Estándar. Le agradecemos que haya mantenido su interés y motivación durante todo el programa. Esperamos que haya disfrutado de su participación en el programa y de los beneficios de la paternidad positiva. Siga trabajando así. Conforme su hijo crezca, es muy probable que surjan situaciones diferentes y nuevos problemas. Consulte su manual y cualquier otro recurso de Triple P en cualquier momento, para repasar las estrategias que ha aprendido o consultar los lineamientos para resolver un nuevo problema de conducta. Si en el futuro tiene alguna inquietud sobre el desarrollo de su hijo o cualquier problema familiar, busque ayuda profesional. Gracias por participar en Triple P. Esperamos que la experiencia haya sido valiosa para usted.

Hojas de trabajo

La intención es que usted haga varias copias de las siguientes hojas de trabajo para utilizarlas con su manual. Recuerde conservar los originales para hacer copias adicionales según sean necesarias.

Instrucciones: Escriba el problema de conducta, cuándo y dónde ocurrió y qué ocurrió antes y después del incidente.

Conducta en observación: _____

Día: _____

INCIDENTE PROBLEMA	¿CUÁNDO Y DÓNDE OCURRIÓ?	¿QUÉ OCURRIÓ ANTES DEL INCIDENTE?	¿QUÉ OCURRIÓ DESPUÉS DEL INCIDENTE?	OTROS COMENTARIOS

Instrucciones: Anote la hora del día en la primera columna, luego ponga una marca en el espacio contiguo cada vez que se presente la conducta durante el día. Anote el total de episodios del día en la última columna.

Conducta: _____

Fecha de inicio: _____

DíA	1	2	3	4	5	6	7	8	9	10	11	12	13	14	15	TOTAL

REGISTRO DE DURACIÓN

Instrucciones: Anote el día en la primera columna y, después, por cada incidente individual de la conducta en observación, anote cuánto duró en segundos, minutos u horas. Anote el tiempo total al final de cada día.

Conducta: _____   Fecha de inicio: _____

DÍA	EPISODIOS SUCESIVOS										TOTAL
	1	2	3	4	5	6	7	8	9	10	

MUESTRA DE TIEMPO

Instrucciones: Anote una marca en el espacio del periodo correspondiente si la conducta en observación ha ocurrido por lo menos una vez.

Conducta: _____ Fecha de inicio: _____

	DÍAS	L	M	M	J	V	S	D	L	M	M	J	V	S	D	L	M	M
	TOTAL																	

Instrucciones: Trace la cantidad de veces que ocurre la conducta escribiendo una X o un círculo en la columna adecuada, luego conecte las marcas con una línea al final del día.

Mes:

Conducta:

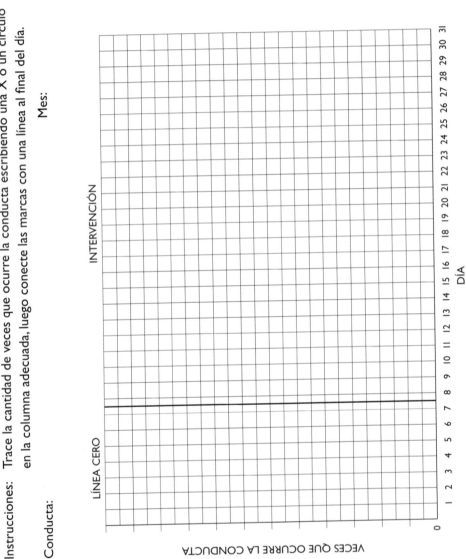

Elija dos estrategias de la Sesión 3 que quisiera practicar con su hijo a lo largo de la siguiente semana. Sea tan específico como pueda (por ejemplo, un objetivo podría ser utilizar felicitaciones descriptivas por lo menos cinco veces al día). Utilice la siguiente tabla para hacer anotaciones y determinar si logra sus objetivos cada día. Haga comentarios sobre los logros y anote los problemas que hayan ocurrido.

OBJETIVO 1:

....

....

OBJETIVO 2:

....

....

DÍA	OBJETIVO 1 S/N	OBJETIVO 2 S/N	COMENTARIOS
1			
2			
3			
4			
5			
6			
7			

Instrucciones: Anote el día, el problema de conducta, cuándo y dónde ocurrió, y la duración total del tiempo fuera.

Hora específica para el tiempo fuera: 2 minutos ☐ 3 minutos ☐ 4 minutos ☐ 5 minutos ☐

DÍA	CONDUCTA PROBLEMA	CUÁNDO Y DÓNDE OCURRIÓ	DURACIÓN DEL TIEMPO FUERA

LISTA DE COMPROBACIÓN PARA RESOLVER INTERRUPCIONES

Instrucciones: Cuando ocurra alguna interrupción de la conversación o las actividades de los padres, anote Sí, No o NA (No Aplicable) para cada uno de los siguientes pasos.

PASOS A SEGUIR	DÍA ¿PASOS COMPLETADOS?				
1. Llame la atención de su hijo.					
2. Dígale que interrumpa la conducta y qué debe hacer – Deja de interrumpir. Di *"Discúlpame"* y *espera a que yo esté desocupado.*					
3. Si el niño obedece, cuando haya una interrupción en su actividad felicítelo por esperar y bríndele su atención.					
4. Si el niño no obedece, dígale qué ha hecho mal – *Sigues interrumpiendo* – y cuál es la consecuencia – *Ahora irás a un rato en silencio.* En caso necesario, llévelo al rato en silencio. No discuta ni argumente el punto.					
5. Si el niño no permanece callado en el rato en silencio, dígale qué ha hecho mal – *No estás callado en el rato en silencio* – y cuál es la consecuencia – *Ahora irás a un tiempo fuera.* Llévelo directamente al tiempo fuera.					
6. Cuando el niño permanezca callado durante el tiempo establecido para el rato en silencio o el tiempo fuera, déjelo ocupado en alguna actividad.					
7. Tan pronto como sea posible, felicítelo por comportarse bien.					
CANTIDAD DE PASOS COMPLETADOS CORRECTAMENTE:					

LISTA DE COMPROBACIÓN PARA RESOLVER PELEAS O NO COMPARTIR

Instrucciones: Cuando ocurran peleas, no compartir o tomar turnos con otros niños, anote Sí, No o NA (No Aplicable) para cada uno de los siguientes pasos.

PASOS A SEGUIR	DÍA				
	¿PASOS COMPLETADOS?				
1. Llame la atención de su hijo.					
2. Dígale que interrumpa la conducta y qué debe hacer – *Dejen de pelear por el juego. Tomen turnos, por favor.*					
3. Felicítelos si obedecen su indicación.					
4. Si el problema continúa, diga a su hijo qué hizo mal y cuál es la consecuencia lógica – *No comparten el juego, así que lo guardaré durante 5 minutos.* No discuta ni argumente el punto.					
5. Si el niño protesta o se queja, utilice ignorar deliberadamente.					
6. Cuando termine el lapso, devuelva la actividad.					
7. Tan pronto sea posible, felicite a los niños por compartir y tomar turnos.					
8. Si vuelve a presentarse el problema, repita la consecuencia lógica durante un periodo más prolongado o utilice el rato en silencio.					
CANTIDAD DE PASOS COMPLETADOS CORRECTAMENTE:					

LISTA DE COMPROBACIÓN PARA RESOLVER LA AGRESIÓN

Instrucciones: Cuando ocurra una agresión, anote Sí, No o NA (No Aplicable) para cada uno de los siguientes pasos.

PASOS A SEGUIR	DÍA				
	¿PASOS COMPLETADOS?				
1. Llame la atención de su hijo.					
2. Dígale que interrumpa la conducta y qué debe hacer – *Deja de golpear. Controla tus manos.*					
3. Felicítelo si obedece su indicación.					
4. Si el niño no obedece, dígale qué ha hecho mal – *Sigues golpeando* – y cuál es la consecuencia – *Ahora irás a un rato en silencio.* En caso necesario, llévelo al rato en silencio. No discuta ni argumente el punto.					
5. Si el niño no permanece callado en el rato en silencio, dígale qué ha hecho mal – *No estás callado en el rato en silencio* – y cuál es la consecuencia – *Ahora irás a un tiempo fuera.* Llévelo directamente al tiempo fuera.					
6. Cuando el niño permanezca callado durante el tiempo establecido para el rato en silencio o el tiempo fuera, déjelo ocupado en alguna actividad.					
7. Tan pronto como sea posible, felicítelo por comportarse bien.					
CANTIDAD DE PASOS COMPLETADOS CORRECTAMENTE:					

LISTA DE COMPROBACIÓN PARA RESOLVER ARRANQUES EMOCIONALES

Instrucciones: Cuando ocurra un arranque emocional (por ejemplo, gritos, llanto o pisotear el suelo), anote Sí, No o NA (No Aplicable) para cada uno de los siguientes pasos.

PASOS A SEGUIR	DÍA				
	¿PASOS COMPLETADOS?				
PUEDE C) Utilizar ignorar deliberadamente en niños menores de 2 años. O B) Llame la atención del niño como le sea posible y siga los siguientes pasos:					
1. Dígale que interrumpa la conducta y qué debe hacer – *Deja de gritar ahora mismo. Usa una voz agradable.*					
2. Felicítelo si obedece su indicación.					
3. Si el niño no obedece, dígale qué ha hecho mal – *No has hecho lo que te pedí* – y cuál es la consecuencia – *Ahora irás a un tiempo fuera.* No discuta ni argumente el punto. Llévelo directamente al tiempo fuera.					
4. Cuando el niño permanezca callado durante el tiempo establecido para el rato en silencio o el tiempo fuera, déjelo ocupado en alguna actividad.					
5. Tan pronto como sea posible, felicítelo por comportarse bien.					
CANTIDAD DE PASOS COMPLETADOS CORRECTAMENTE:					

LISTA DE COMPROBACIÓN PARA RESOLVER LLORIQUEOS

Instrucciones: Cuando ocurra el lloriqueo por cualquier motivo, anote Sí, No o NA (No Aplicable) para cada uno de los siguientes pasos.

PASOS A SEGUIR	DÍA				
	¿PASOS COMPLETADOS?				
1. Llame la atención del niño.					
2. Dígale que interrumpa la conducta y qué debe hacer – *Deja de lloriquear por un pedazo de pastel. Por favor, pídelo amablemente.*					
3. Felicítelo si obedece su indicación.					
4. Si el niño no obedece, dígale qué ha hecho mal – *No pides las cosas amablemente* – y cuál es la consecuencia – *Guardaré el pastel 10 minutos. Vuelve a pedirlo entonces.* No discuta ni argumente el punto.					
5. Si el niño protesta o se queja, utilice ignorar deliberadamente.					
6. Una vez transcurrido el tiempo, si el niño ha dejado de lloriquear, felicítelo por guardar silencio y bríndele la oportunidad de pedir amablemente lo que quiere.					
7. Si pide amablemente las cosas, felicítelo por comportarse así y responda a su petición.					
8. Si el problema vuelve a presentarse, repita la consecuencia lógica durante un periodo más prolongado o utilice el rato en silencio.					
CANTIDAD DE PASOS COMPLETADOS CORRECTAMENTE:					

LISTA DE COMPROBACIÓN PARA RESOLVER UN PROBLEMA DE CONDUCTA

Instrucciones: Cuando ocurra un problema de conducta, anote Sí, No o NA (No Aplicable) para cada uno de los siguientes pasos.

	DÍA				
PASOS A SEGUIR	**¿PASOS COMPLETADOS?**				
CANTIDAD DE PASOS COMPLETADOS CORRECTAMENTE:					

Identificar la situación de alto riesgo

···

Especifique detalles para la sesión de práctica (cuándo, dónde, quién estará presente)

···

···

···

Programación o preparación anticipada

···

···

···

Elija las reglas

···

···

···

Elija actividades atractivas

···

···

···

Recompensas para la conducta adecuada

···

···

···

Consecuencias para la mala conducta

···

···

···

Objetivos del repaso

···

···

···

LISTA DE COMPROBACIÓN PARA ACTIVIDADES PROGRAMADAS

Situación: _____

Instrucciones: Cuando ocurra esta situación, anote Sí, No o NA (No Aplicable) para cada uno de los siguientes pasos.

PASOS A SEGUIR	DÍA				
	¿PASOS COMPLETADOS?				
1					
2					
3					
4					
5					
6					
CANTIDAD DE PASOS COMPLETADOS CORRECTAMENTE:					